COLLECTION DIRIGÉE PAR
**ANNE-MARIE AUBIN**

Yves Beauchemin

Yves Beauchemin est l'auteur du best-seller international *Le Matou*, vendu à plus d'un million d'exemplaires dans le monde et dont un film et une série télévisée ont été tirés. Il figure parmi les grands écrivains québécois. Son roman *Juliette Pomerleau* lui a valu le prix Jean Giono, le Prix des lectrices de *Elle* et le Prix du public du Salon du livre de Montréal. *Antoine et Alfred* est né de l'amitié de l'écrivain pour un petit garçon, Nicolas, atteint de leucémie. Québec/Amérique se joint ici à Yves Beauchemin pour appuyer Leucan et offrir aux enfants un cadeau précieux : le bonheur par la lecture.

# Antoine et Alfred

## Du même auteur

*L'Enfirouapé*, Montréal, Éditions La Presse, 1974.

*Le Matou*, roman, Montréal, Éditions Québec/Amérique, 1981.

*Cybèle*, Montréal, Éditions Art Global, 1982, (tirage limité).

«Sueurs», dans *Fuite et poursuite*, en collaboration, nouvelle, Montréal, Éditions Quinze, 1982.

*Du sommet d'un arbre*, récits, Montréal, Éditions Québec/Amérique, 1986.

*L'Avenir du français au Québec*, en collaboration, Montréal, Éditions Québec/Amérique, 1987.

*Premier amour*, en collaboration, nouvelle, Montréal, Éditions Stanké, 1988.

*Juliette Pomerleau*, roman, Montréal, Éditions, Québec/Amérique, 1989.

*Finalement!... les enfants*, en collaboration avec André Ruffo, Montréal, Éditions Art Global, 1991.

*Une histoire à faire japper*, roman, Éditions Québec/Amérique, 1991.

# Antoine et Alfred

**YVES BEAUCHEMIN**

**QUÉBEC AMÉRIQUE JEUNESSE**

329, rue de la Commune O., 3$^{e}$ étage, Montréal, (Québec) H2Y 2EI, Tél.: (514) 499-3000

Cet ouvrage a été publié grâce à une subvention du Conseil des Arts du Canada.

**Données de catalogage avant publication (Canada)**

Beauchemin, Yves, 1941-

Antoine et Alfred

(Collection Littérature jeunesse ; 40)
Pour les jeunes à partir de 10 ans.

ISBN 2-89037-607-9

I. Titre. II. Collection : Collection Littérature jeunesse (Québec/Amérique) ; 40.
PS8553.E172A96 1992 jC843'.54 C92-096912-7
PS9553.E172A96 1992
PZ23.B42An 1992



Dépôt légal:
4e trimestre 1992
Bibliothèque nationale du Québec
Bibliothèque nationale du Canada
Réimpression : mars 1996
Réimpression : septembre 1998

Montage
Andréa Joseph

*À Nicolas Dufour-Laperrière*

# 1

C'était un samedi matin. Il était neuf heures moins cinq. Antoine était assis sur le plancher de la cuisine en train de se demander à quel ami téléphoner lorsqu'il aperçut tout à coup devant l'armoire à balais, un énorme rat gris qui l'observait tranquillement.

Il voulut appeler à l'aide, mais le rat fit une curieuse pirouette et retomba sur ses pattes avec un plouc ! comme le bruit d'une vadrouille mouillée sur un prélart.

— Es-tu capable d'en faire autant ? demanda-t-il.

Antoine le regardait, la bouche béante ; on aurait pu mettre le poing dedans.

— Qu'est-ce que tu as ? demanda le rat.

— Qui t'a montré à parler ? bafouilla Antoine.

— Eh ben quoi, mes parents, c't'affaire...

Sa voix, sèche et toute menue, faisait penser au frottement d'un clou sur un tableau noir.

— Pourtant, on m'a toujours dit que les rats ne parlaient pas, murmura Antoine, ahuri.

Sa peur commençait à diminuer. Mais il continuait de trouver l'animal passablement dégoûtant.

— On t'a dit que les rats ne parlaient pas ? reprit l'autre avec un sourire moqueur (oui ! il souriait !). En as-tu rencontré beaucoup de rats dans ta vie ?

— Euh... non, avoua Antoine. Mais j'ai vu des photos.

— Alors oui, ça, c'est vrai, les photos ne parlent pas, elles.

Et, debout sur ses pattes arrière, il se donna des tapes sur la bedaine en poussant de petits couinements.

— Antoine ? demanda Marie-Anne en haut de l'escalier. Avec qui parles-tu ?

— Euh... je parle tout seul, maman.

— J'ai pourtant entendu une autre voix.

Et elle se mit à descendre l'escalier.

— Ouvre la porte de l'armoire à balais, que je me cache, demanda le rat. Je ne veux pas la voir.

Antoine, indécis, tourna la tête vers la porte de la cuisine où allait apparaître Marie-Anne, puis vers le rat qui le suppliait du regard.

Sa mère atteignait le bas de l'escalier ; dans quelques secondes elle serait dans la pièce. Antoine bondit sur ses pieds et ouvrit l'armoire, le rat sauta dedans et la porte se referma avec un claquement sec.

— Et alors ? demanda Marie-Anne. Avec qui parlais-tu ?

— Avec personne, je te l'ai dit. Je...

m'amusais à me raconter une histoire.

Marie-Anne le regarda, intriguée. Antoine souriait, adossé à l'armoire. Elle s'avança vers lui.

— Qu'est-ce que tu veux ? demanda-t-il en s'appuyant contre la porte.

— J'ai besoin du porte-poussière. Pourquoi te tiens-tu ainsi, Antoine ?

— Attends, je vais te le donner. Mais auparavant, il faut que tu me tournes le dos.

— Te tourner le dos ? fit sa mère, de plus en plus étonnée.

— Oui. Je veux te faire une surprise. S'il te plaît, maman !

— Bon, puisque tu y tiens, fit-elle en s'exécutant. Tu es drôle, toi, aujourd'hui... Un peu d'air te ferait du bien, je pense.

Antoine entrouvrit la porte, saisit le porte-poussière (le rat fit une nouvelle pirouette, mais malgré lui, cette fois !) et le tendit à sa mère.

— Et la surprise ?

— Euh... la surprise, c'est pour plus tard. Dans... quinze minutes, disons.

Marie-Anne le regarda longuement, puis :

— Est-ce que tu ne serais pas en train de devenir un peu fou, Antoine ?

— Oh non, pas du tout. Au contraire, répondit-il avec un sourire malicieux.

— Va donc jouer au parc avec tes amis, suggéra-t-elle en s'éloignant.

Elle remonta l'escalier. Antoine se dirigea aussitôt vers l'armoire. Le rat avait réussi à entrouvrir la porte avec le bout de son museau. Une moustache dépassait.

— Merci, vieux. Tu m'as sauvé la vie. Viens avec moi, j'ai quelque chose à te montrer.

# 2

Le rat trottina à travers la cuisine et enfila l'escalier de la cave.

À droite, il y avait la salle de jeux, à gauche la buanderie ; au milieu de celle-ci une porte donnait sur un grand débarras où se trouvaient, empilés dans un désordre épouvantable, des milliers d'objets inutiles que le père d'Antoine conservait précieusement dans l'espoir qu'un miracle leur donnerait un jour de la valeur.

Le rat fila vers le débarras, s'arrêta sur le seuil et leva la tête :

— Vous devriez faire un peu de ménage. L'autre jour, j'ai failli recevoir un chaudron sur la gueule. À quoi ça sert, toutes ces cochonneries ?

— C'est mon père qui les collectionne. Il ne peut pas s'empêcher de ramasser tout ce qui lui tombe sous la main. Maman dit que c'est une sorte de maladie.

— Il est bien à plaindre... et moi aussi. Je m'abîme les pattes, moi, à me promener dans tout ce fourbi.

— Dans tout ce quoi ?

— Fourbi. Dans ce désordre, si tu veux.

Antoine ouvrit de grands yeux, tout impressionné par la culture du rat.

Celui-ci contourna une boîte remplie de grille-pain défectueux et s'arrêta devant un trou dans le plancher de béton. Une odeur d'humidité et de moisi en sortait.

— C'est là que je demeure, dit-il.

— Ça n'a pas l'air tellement joli.

— C'est infect. Aussi je veux en

sortir. J'ai peur d'y attraper l'arthrite... ou même une dépression nerveuse.

— À propos, comment t'appelles-tu ? demanda Antoine, qui trouvait tout à fait normal à présent de causer avec un rat d'égout.

— Alfred.

— Alfred ? Pas mal comme nom. C'est tes parents qui te l'ont donné ?

— Qui veux-tu que ce soit ?

— Ils vivent dans ce trou-là eux aussi ?

Alfred fronça les sourcils (manière de parler, car il n'en avait pas, à vrai dire) :

— Non. Et je préfère ne pas en parler.

Il sauta sur une boîte pour se mettre à la hauteur d'Antoine. Malgré sa grosseur, il était d'une agilité surprenante.

— Écoute, je t'observe depuis une semaine...

— Depuis une semaine ? s'étonna Antoine.

— Oui... et j'ai constaté que tu as bon cœur et que tu n'es pas trop bête.

— Merci, répondit l'autre, un peu déçu tout de même du compliment.

— Après y avoir bien réfléchi, j'ai décidé de te faire part de mon projet : je veux vivre dans votre maison. C'est plus sec. Et bien plus joli. Qu'en penses-tu ?

Antoine eut une moue embarrassée :

— Euh... c'est que si mes parents te voient — ou mon frère Alain — ils risquent de te jeter dehors à coups de balai — ou même d'essayer de t'écrabouiller. Quant à ma sœur Judith, c'est différent. Elle n'a qu'un an et demi.

Il s'arrêta subitement :

— C'est fou, j'oubliais que tu sais parler. Ça va sûrement les impressionner. À bien y penser, peut-être, oui, peut-être qu'après tout ils voudraient te garder.

Alfred s'avança sur le bord de la boîte :

— À mon avis, il faut procéder en douce. Je ne veux pas leur apprendre tout de suite que je parle. Sinon, ils vont perdre la tête, tout le voisinage le saura dans la minute, et j'aurai des tas d'emmerdements.

Il leva la patte droite, très sérieux :

— Alors, vois-tu, il faut préparer le terrain. Pour cela, j'ai besoin de ton aide et ça presse.

— Ça presse ?

— Depuis trois semaines, je souffre d'un mal de reins épouvantable. Et mes yeux me brûlent parfois comme du feu. Il me faut un endroit plus sain.

— Qu'est-ce que je peux faire ? demanda Antoine avec un air d'impuissance.

La boîte sur laquelle se trouvait Alfred, posée sur deux autres boîtes remplies de guenilles, contenait des pots de confitures vides. La pile commença sournoisement à s'incliner.

— J'ai pensé que si je pouvais vivre deux ou trois jours avec toi en cachette dans la maison, ça serait plus facile ensuite de convaincre tes parents de me garder — et tu aurais le temps de les préparer à faire ma connaissance.

La pile s'inclina un peu plus, à l'insu des deux compagnons.

— Hum, fit Antoine, sceptique. Je crois plutôt que ça serait un bon moyen pour qu'on m'engueule comme du poisson pourri et qu'on me prive de dessert pendant une semaine.

À ces mots, la pile s'écroula dans un vacarme à réveiller une statue ; on aurait cru que tous les pots de confitures de la terre venaient de se briser en même temps.

Trois secondes plus tard, Marie-Anne arrivait en trombe dans la cave :

— Qu'est-ce qui se passe ? articula-t-elle très lentement, les mains posées sur les hanches.

Debout au milieu des éclats de vitre, Antoine la regardait, tout étourdi par le bruit.

— Et alors ? insista-t-elle.

— J'ai cassé des pots de confitures, annonça Antoine, penaud.

— Ça, je le vois bien, figure-toi donc. Tu vas me faire le plaisir de ramasser tout ce dégât, puis de ficher le camp dehors jusqu'à midi. Et mets des gants pour ne pas te couper.

Antoine alla chercher le porte-poussière et le balai et se mit à ramasser les éclats. Soudain, en soulevant un pot ébréché, il aperçut une petite flaque de sang sur le plancher. Une traînée de gouttes menait jusqu'au fameux trou. Il se mit à quatre pattes :

— Alfred ! Alfred ! souffla-t-il, c'est moi, Antoine.

Personne ne répondit. Personne n'apparut.

Il appela encore deux ou trois fois, puis se remit à son ménage et sortit dehors, tout triste.

— Pourvu qu'il ne soit pas mort d'une hémorragie, murmura-t-il, inquiet, en se dirigeant vers le parc.

Au bout d'une demi-heure, il se trouva un prétexte pour retourner à la cave et appela de nouveau son ami (car il le considérait maintenant comme tel).

Mais Alfred ne donnait aucun signe de vie.

Antoine était de plus en plus inquiet. Il n'eut pas grand appétit ce midi-là. Il semblait si triste que son frère Alain décida de ne pas mettre de sel dans son verre de lait, bien que l'occasion fût tentante.

Antoine retourna plusieurs fois dans la cave au cours de l'après-midi, mais le rat ne se montrait toujours pas.

— Veux-tu bien me dire ce que tu fabriques ? demanda sa mère en le voyant enfiler l'escalier pour la troisième fois.

— Je cherche quelque chose, répondit Antoine, le visage fermé.

Elle le prit par la taille et le regarda droit dans les yeux :

— Ça ne va pas, mon loup ? Qu'est-ce qui te chicote ?

Antoine détourna le regard :

— Je te le dirai plus tard... peut-être. Et ne viens pas m'espionner, hein ? fit-il en redressant la tête. C'est mon secret. Je ne fais rien de mal, je te le jure !

Assise sur le plancher, Judith les regardait avec de grands yeux, entourée de cuillères et de moules à gâteau.

— Va ga ga ! lança-t-elle tout à coup, voulant sans doute exprimer sa confiance absolue dans son grand frère.

Et, pour appuyer ses paroles, elle saisit une cuillère et se mit à frapper de toutes ses forces sur un moule.

Antoine descendit à la salle de jeux et s'affala devant la télévision :

— Maintenant, je suis sûr qu'il est mort, murmura-t-il, les yeux pleins de larmes. Et c'est de ma faute... J'aurais dû voir que la pile allait s'écrouler. Pour une fois que je rencontre un rat qui sait parler — et je le laisse bêtement crever...

L'après-midi s'étirait comme une chique de gomme de vingt kilos. Les minutes ne voulaient plus passer. Elles s'empilaient dans la salle de jeux, stupidement. L'air en devint si épais qu'Antoine avait de la misère à respirer. Il soupirait, dégoûté de la vie, éteignant et allumant la télévision, envoyant tout le monde au diable et lui-même avec.

À trois heures, son ami Michel Blondin téléphona pour l'inviter à faire une promenade à bicyclette.

— Non vraiment, Michel, ça ne me tente pas, répondit Antoine d'une voix morne, ça ne me tente absolument pas.

— Qu'est-ce que tu as ? s'étonna l'autre.

— Je t'en parlerai peut-être un jour... Dans un an ou deux...

— Tabarouette, fit Michel en raccrochant, qu'est-ce qui a bien pu lui arriver ? Il a renversé un pot de peinture sur le tapis du salon ?

Vers cinq heures, Marie-Anne décida de préparer le souper ; une bonne odeur de frites se répandit bientôt dans la maison. Antoine décida pour la dixième fois d'aller jeter un coup d'œil dans le trou, en prenant soin de ne pas se faire remarquer.

Il s'agenouilla sur le plancher rugueux et froid :

— Alfred, souffla-t-il, m'entends-tu ? Réponds-moi, Alfred, je suis inquiet. Il faut faire soigner ta coupure, sinon elle va s'infecter.

Pas un bruit ne parvenait du trou noir et humide d'où montait une odeur terreuse un peu écœurante.

Antoine se releva en soupirant et s'éloigna. Arrivé au seuil, il se retourna avant d'éteindre la lumière.

Une petite tête grise dépassait du

trou, dardant sur lui deux yeux brillants de colère.

— Alfred ! s'écria Antoine en se précipitant vers son ami. Qu'est-ce que tu faisais ? Ça fait des heures que je t'appelle !

— Je souffrais, répondit sèchement le rat.

— Pourquoi ne venais-tu pas me trouver ? Je t'aurais soigné. On a du mercurochrome dans notre pharmacie.

— À cause de toi, je me suis coupé au ventre, prononça Alfred sur un ton d'amer reproche.

Il s'extirpa du trou, se dressa péniblement, et Antoine aperçut une large coupure qui traversait son ventre en diagonale.

— Ouille ouille ! gémit le rat en retombant sur ses pattes, ça tire !

Puis il ajouta :

— Tu aurais pu m'avertir que la pile allait s'écrouler, non ?

Antoine ouvrit de grands yeux, puis la bouche, et son visage devint écarlate :

— Oh la la ! quel caractère ! comme

si je pouvais deviner qu'elle allait tomber, cette pile ! Ah ! je comprends tout, maintenant : monsieur me boudait... Et moi qui me mourais d'inquiétude... Tu parles d'un rat !

— Tu parles de quoi ? fit Alain en apparaissant tout à coup dans la porte.

L'air moqueur, il se mit à chercher du regard à qui pouvait bien s'adresser Antoine.

Ce dernier, les narines pincées par l'émotion, le fixait en silence, ses pensées réduites à la grosseur d'un petit pois.

— Tu parles de quoi ? répéta Alain en s'avançant.

L'autre serra les lèvres.

— Tu parles tout seul, donc. Car je ne vois personne ici. Ohé ! Y a quelqu'un ?

Il donna un coup de pied sur une feuille de contreplaqué, puis alla fouiner ici et là, déplaçant une boîte, soulevant un vieux tapis.

— Tu es vraiment tout seul, constata-t-il au bout d'un moment. Ça t'arrive souvent de te faire la conversation comme ça ?

Antoine continuait de l'observer, l'air craintif et furieux :

— Ça me regarde, murmura-t-il au bout d'un moment.

— Moi, je pense que ça regarde plutôt le psychiatre. Mon frère est fou, mon frère est fou, se mit-il à crier, et il quitta la cave en riant.

Antoine attendit qu'il fût remonté au rez-de-chaussée, puis regarda à ses pieds. Alfred surgit d'une boîte de conserve :

— Et alors ? Comment me trouves-tu ? J'ai de bons réflexes, hein ?

— Meilleurs que ton caractère. Attends-moi une seconde.

Il alla jeter un coup d'œil dans l'escalier pour s'assurer qu'Alain n'était pas redescendu à pas de loup, referma la porte derrière lui puis revint auprès d'Alfred :

— Montre-moi ta blessure. Il faut absolument te soigner, dit-il au bout d'un moment. Mais auparavant, je dois te laver.

— Me laver ? s'étonna Alfred. Pourquoi ?

— On ne t'a jamais dit que les rats

transportent parfois le bacille de la peste ?

Alfred prit un air offensé :

— Si je t'écœure trop, tu sais, je peux aller ailleurs.

Suivit une longue discussion. Mais Antoine se montra inflexible : il était fils de pharmacien et tenait aux règles de l'hygiène. Pas de séjour dans la maison sans un bon savonnage suivi d'une désinfection à l'alcool méthylique.

Alfred protesta, disant que la seule vue d'un pain de savon lui donnait des nausées, que l'odeur de l'alcool lui causait des étourdissements, etc., mais finalement il dut se résigner. Antoine le déposa dans une boîte à chaussures vide, referma le couvercle et monta à la salle de bains, dont il verrouilla la porte.

Le nettoyage dura une bonne demi-heure. La blessure d'Alfred compliquait tout. Antoine remarqua deux petites pustules sur la cuisse gauche de l'animal, mais n'osa pas lui en parler. Soudain on frappa à la porte ; c'était Marie-Anne, intriguée par le long séjour de son fils dans la salle de bains.

— J'ai décidé de me laver tout de suite, maman, pour avoir plus de temps libre dans la soirée.

— Décidément, il est bizarre aujourd'hui, murmura-t-elle en redescendant à la cuisine.

Une fois nettoyé, Alfred dut être pansé. La vue du mercurochrome lui fit très peur, mais son odeur lui rappela un peu le navet pourri et cela le réconforta pendant le badigeonnage.

Toutes ces opérations l'avaient fatigué. Il tombait de sommeil. Antoine le déposa dans la boîte à chaussures et glissa la boîte sous son lit.

— Je viendrai te porter un peu de fromage tout à l'heure.

— J'aime beaucoup le camembert, fit remarquer Alfred en bâillant. Mais moisi. En avez-vous du moisi ?

Antoine ne put lui répondre : son frère Alain montait l'escalier.

• • •

— Où t'en vas-tu comme ça avec ce morceau de fromage ? demanda Marie-Anne.

Antoine s'arrêta au milieu de l'escalier :

— Dans ma chambre.

— Pas question, Antoine. Je t'ai répété mille fois que je ne voulais pas te voir manger en haut. Vous salissez tout, toi et Alain. Redescends, je t'en prie.

Antoine, qui n'avait pas faim et qui n'aimait pas tellement le camembert, dut manger le fromage, assis à la table de la cuisine.

Sur les entrefaites, quelqu'un appela Marie-Anne dans la cour. Antoine attrapa un couteau, se précipita vers le frigidaire, tailla un deuxième morceau et fila vers sa chambre.

— Quelle vie ! soupira-t-il en grimpant l'escalier quatre à quatre. Si ça continue, je vais devenir cardiaque.

Alfred dormait dans sa boîte et n'ouvrit même pas l'œil quand Antoine souleva le couvercle. Antoine l'observa un moment, le cœur rempli d'une étrange émotion. Il le trouvait de moins en moins laid, ce rat d'égout, malgré ses dents jaunies, son bout de queue manquant et son pelage grisâtre qui faisait penser à un vieux tapis.

Dans la chambre d'à côté, on entendait Alain jouer à l'ordinateur.

— Est-ce qu'il est un peu moisi ? demanda tout à coup Alfred, les yeux toujours fermés.

— Non, malheureusement, s'excusa Antoine à voix basse. Ma mère ne garde pas le fromage moisi. Elle le jette.

— Pose-le près de moi. J'y goûterai tout à l'heure. À propos...

— Quoi ? fit l'autre en se penchant.

Le rat leva la tête et lui fit une sorte de sourire :

— Tu n'aurais pas une vieille débarbouillette ? Je trouve le fond de la boîte un peu dur... Et puis, il me faudrait une litière pour mes besoins. T'imagines-tu qu'on va me garder à la maison si je fais mes crottes partout ?

Antoine fouillait dans la lingerie lorsqu'Alain vint le trouver :

— Eh, petite tête, tu n'aurais pas pris mon porte-mine orange, par hasard ?

— Il est dans ma chambre, sur mon bureau.

— Merci, pickpocket. Je te revaudrai ça.

— Ça compensera pour les billes que tu m'as perdues hier, grand niaiseux.

Alain se disposait à lui tordre un bras, mais il changea brusquement d'idée et pénétra dans la chambre de son frère :

— Dis donc, ça sent drôle ici... Ça sent le désinfectant.

Antoine s'approcha, l'air innocent :

— Tu trouves ?

L'autre posa sur lui un long regard soupçonneux :

— Qu'est-ce que tu mijotes encore, toi ? Je sens que tu nous prépares un autre coup pendable.

— Je te jure que je ne prépare rien du tout. Et je te défends d'entrer dans ma chambre, s'écria-t-il tout à coup en voyant son frère s'approcher du lit.

— Oh oh ! se dit Alfred en se recroquevillant dans sa boîte. S'il me découvre, ça va faire une drôle d'entrée en matière !

Et la peur hérissa ses moustaches, lui donnant un air terrible alors qu'il ne cherchait qu'à plaire à tout le monde.

Alain se mit à fouiner dans la pièce tandis que son frère protestait de toutes ses forces. Mais au bout de quelques minutes, ne trouvant rien, il s'en alla, après avoir gratifié Antoine d'une pichenotte sur le bout du nez.

— Ouf ! soupira Alfred. Je l'ai échappé belle !

Et il s'étendit de tout son long dans la boîte.

Dès qu'il fut assuré que son frère était au rez-de-chaussée, Antoine alla porter une débarbouillette au rat, puis se mit à discuter avec lui du problème de la litière. Mais les deux pustules qu'il avait remarquées sur sa cuisse l'inquiétaient un peu. Il lui demanda ce que c'était.

— Bah ! rien du tout. Ça m'arrive de temps à autre. Au bout de deux ou trois jours, ça disparaît.

— Pourvu qu'il n'ait pas la peste, se dit Antoine, soucieux, en redescendant à la cuisine. C'est une maladie terrible. On devient tout noir et raide comme une fourchette, et puis on crève.

# 3

— Yum yum ! s'écria Antoine. De la tarte aux framboises !

— Et cueillies par moi-même, précisa monsieur Brisson.

Le souper avait été très agréable : Marie-Anne avait servi des frites et de la saucisse allemande, Judith n'avait pas lancé de purée de carotte sur la table, monsieur Brisson avait raconté un incident loufoque arrivé à la pharmacie et Alain n'avait taquiné son frère que deux fois.

— Papa, demanda tout à coup Antoine, mine de rien, si tu avais à désinfecter un rat d'égout, quel produit utiliserais-tu ?

Tous les regards se tournèrent vers lui et un profond silence s'établit autour de la table. Même Judith cessa de gazouiller et se mit à suivre la scène, très intéressée.

— Qu'est-ce que tu as dit ? demanda monsieur Brisson en déposant sa fourchette sur la table.

Comme il lui arrivait chaque fois qu'il était ému, son crâne s'était orné d'une plaque rouge en forme de tube de pâte dentifrice.

— Oh oh ! se dit Antoine, j'ai l'impression d'avoir gaffé.

Mais il répéta quand même sa question.

— Est-ce que par hasard tu aurais capturé un rat d'égout, Antoine ? demanda monsieur Brisson avec un sourire inquiet.

— Il en est bien capable, soupira sa mère.

— Non non, absolument pas ! déclara Antoine sur le ton de la plus grande sincérité. Je demandais ça à tout hasard. On a parlé de rats hier à notre cours de sciences naturelles et la question m'intéresse.

Alain fit une grimace :

— Moi, je trouve que c'est un sujet dégoûtant. Surtout à table.

— Wa wa wa ! lança Judith, très amusée.

Marie-Anne se leva d'un bond :

— L'entendez-vous ? Elle vient de dire le mot rat !

Elle s'élança vers sa fille et se mit à l'embrasser passionnément :

— Ah ! petit amour de coquelicot de lutin bleu... Je suis en train de perdre mon bébé... Il va bientôt devenir une grande fille...

— Hélas, ajouta Alain en sourdine.

Monsieur Brisson s'était levé lui aussi et cajolait Judith qui roucoulait d'aise, rejetée en arrière dans sa chaise.

Il se tourna vers Antoine :

— Eh bien, mon vieux, si je devais vivre avec un rat d'égout, je le traiterais d'abord avec un shampoing antiparasitaire genre *Quellada* — mais surtout je le ferais examiner au plus vite par un vétérinaire pour vérifier s'il n'est pas porteur de maladies graves comme la peste, la rage, etc.

— Ah bon, fit Antoine, songeur.

Il termina ses frites en silence et c'est en silence également qu'il mangea sa pointe de tarte aux framboises.

Alain l'observait, de plus en plus intrigué.

Antoine se leva de table (— N'oublie pas de te laver les mains, lui enjoignit Marie-Anne), s'approcha du robinet, puis se mit à arpenter le hall, les mains dans les poches. Comment pourrait-il porter Alfred chez un vétérinaire à l'insu de ses parents ? Et avec quel argent payer ? Depuis l'achat de son train électrique, il n'avait plus en banque que la somme de 1,47 $. C'était nettement insuffisant pour payer un vétérinaire, même s'il ne s'agissait que d'examiner un rat d'égout.

Il n'avait donc pas le choix et devait annoncer le soir même la présence d'Alfred à la maison. Mais auparavant, il fallait en parler au rat.

Antoine leva la tête et s'aperçut qu'Alain l'espionnait par une porte entrebâillée.

— Fous le camp, tête de lard, marmonna-t-il entre ses dents.

— Qu'est-ce qui se passe ? fit Alain en s'approchant. Tu as des soucis, mon petit frère ?

Pour une fois, il n'avait pas son air moqueur et semblait — ô miracle ! — éprouver quelque chose qui ressemblait à de la compassion.

— Oui, j'ai des soucis, mais je ne peux pas en parler. Pas tout de suite, en tout cas.

— Même à moi ?

— Surtout à toi !

— Bon, fit l'autre, un peu vexé, c'est comme tu veux...

Et il s'en alla au salon.

Antoine voulut monter à sa chambre, mais il craignit qu'Alain ne le suive et décida plutôt de se rendre à la salle de jeux construire un navire spatial avec ses *Légo*.

Mais le problème de la litière d'Alfred n'était pas résolu. Cela le tracassait.

— Si maman trouve des crottes dans ma chambre, on est foutus, se dit-il.

Il alla chercher un contenant de plastique dans la dépense et sortit dehors par la porte de côté. Il n'y avait personne dans la cour.

Robert Legault passait à bicyclette sur le trottoir et lui envoya la main. Il répondit à son salut, mais lui tourna le dos pour ne pas avoir à lui parler. Il se dirigea rapidement vers le carré de sable, remplit son contenant et rentra à la maison.

Il pénétrait dans sa chambre lorsque son père sortit de la sienne.

— Qu'est-ce que tu fais avec ce sable ? fit-il en fronçant les sourcils.

Antoine essaya de trouver une réponse, mais aucune idée n'apparut dans son esprit et il resta bouche bée, se dandinant d'une jambe sur l'autre, l'air franchement idiot.

— Tu vas me faire le plaisir, poursuivit Jean-Guy, d'aller porter ce sable où tu l'as pris. Ta chambre n'est pas un terrain de jeux. Il y a des êtres humains qui vivent avec toi dans cette maison et ils aimeraient pouvoir compter sur un minimum de propreté.

— D'accord, papa, répondit Antoine en descendant l'escalier, la mort dans l'âme.

À neuf heures, il dut se coucher sans avoir pu régler son problème. Ses parents vinrent lui souhaiter bonne nuit. Aussitôt qu'ils l'eurent quitté, Antoine sauta en bas de son lit.

— Inutile de rien me raconter, fit Alfred d'un ton sec, j'ai tout entendu.

— Je suis désolé, mon vieux.

— Moi aussi. Enfin, j'essayerai de me retenir. Mais je ne pourrai pas le faire toute ma vie. Et je n'ai pas le goût de dormir dans ma pisse. La saleté ne me fait pas peur, mais il y a une limite, tout de même. À propos, ce fromage m'a donné une soif terrible.

Antoine se rendit à la salle de bains et lui rapporta un verre d'eau. Ils discutaient de la façon dont ils pourraient bien annoncer sa présence à la maison lorsqu'Alain monta se coucher à son tour. Il dormait dans la chambre contiguë.

— Salut, Alfred, à demain, souffla Antoine.

Et il se glissa à toute vitesse sous ses couvertures.

Bien lui en prit : il venait à peine de poser la tête sur l'oreiller que la porte de sa chambre s'ouvrait doucement et qu'Alain promenait dans l'ombre un long regard inquisiteur.

# 4

Antoine ouvrit l'œil. La chambre était obscure. Il sentait un poids sur son ventre. C'était Alfred.

— Je n'en peux plus, souffla le rat. Il faut que je fasse mes besoins tout de suite.

Antoine s'assit brusquement dans son lit. Le rat, qui ne s'y attendait pas, roula dans les couvertures.

— Dis donc, chose, fais attention, grommela-t-il.

Sa petite voix faisait maintenant penser au grincement d'une scie.

Il se releva et se dressa sur ses pattes arrière :

— Allez, vite, fais quelque chose, ou je pisse dans ton lit.

Antoine se frottait les yeux, encore tout endormi et passablement embêté :

— Veux-tu que je t'amène aux toilettes ? proposa-t-il enfin.

— Ah non ! j'aurais peur de me noyer.

Alors tout se déroula très vite.

Marie-Anne, que le bruit de leur conversation avait réveillée, s'était levée tout doucement et avait traversé sur la pointe des pieds le petit couloir où donnaient les chambres à coucher ; elle vit son fils dans la pénombre en train de parler à quelqu'un d'invisible, avança la main et actionna le commutateur.

Un cri terrible retentit dans la maison et la seconde d'après Jean-Guy et Alain étaient debout derrière elle dans l'embrasure.

— Il n'est pas dangereux ! il n'est

pas dangereux ! ne cessait de répéter Antoine, des larmes dans la voix.

Alfred, paralysé de surprise, fixait en silence les trois nouveaux arrivés, qui l'observaient d'un œil rempli de stupéfaction et d'écœurement.

— Eh bien, ils m'ont eu, se dit-il. Qu'est-ce que je fais maintenant ?

Dans sa chambre, Judith s'était mise à pleurer.

Un moment passa.

— Qu'est-ce que cet animal dégoûtant fait sur ton lit ? demanda à voix basse Jean-Guy, qu'une sombre colère envahissait.

— Il... il ne couche pas avec moi, bafouilla Antoine, il couche dans une boîte à chaussures *sous* mon lit. Et puis... et puis, il est très propre : je l'ai lavé ; je l'ai même désinfecté avec de l'alcool à friction.

— Ah bon. Je commence à comprendre certaines de tes questions au souper.

— Quel petit con, laissa tomber Alain avec un mépris glacial.

— Tu vas enfiler une paire de gros gants de cuir, continua Jean-Guy, mettre ce rat dans sa boîte et la boîte dehors, et je ne veux plus en entendre parler. Je ne veux plus en entendre parler jamais. Les rats sont des animaux nuisibles qui peuvent transmettre des maladies graves — et il n'y a pas de place pour eux dans nos maisons.

Alors Alfred se tourna vers lui :

— On m'a déjà dit des choses plus agréables, lança-t-il de sa voix un peu éraillée.

Un long moment de stupeur suivit. Antoine tremblait de tout son corps et en même temps il avait envie de rire.

— Qui a parlé ? demanda enfin Marie-Anne dans un souffle.

Antoine sourit :

— C'est lui. Il parle. C'est pour ça que je veux le garder. En plus, il est très intelligent.

— Tu plaisantes, fit son père. Qui a parlé ? C'est un jouet, ça, ou quoi ? Allons, réponds ! Je n'ai pas envie de passer la nuit debout pour tes niaiseries.

— Je t'assure que c'est lui. Dis-leur, Alfred.

— J'ai parlé. Je parle. Je parlerai, répondit le rat.

Un second moment de stupeur suivit, un peu plus long que le premier. Judith pleurait toujours et commençait à trouver qu'on se fichait d'elle.

Alors Antoine raconta posément sa rencontre dans la cuisine avec Alfred et tout ce qui en avait résulté. De temps à autre, le rat ajoutait un détail. À un moment donné, il poussa un ricanement. Tout le monde fronça les sourcils.

Judith était en train de s'époumoner. Marie-Anne s'élança tout à coup vers sa chambre et revint en la portant dans ses bras. À la vue d'Alfred, elle s'arrêta net de pleurer :

— Wa ! wa ! wa ! se mit-elle à crier en agitant la main.

Et elle chercha à quitter les bras de sa mère pour aller caresser le rat.

Cela détendit un peu l'atmosphère. Alfred lui adressa un sourire.

Jean-Guy écoutait Antoine et Alfred en se grattant l'oreille gauche avec l'air d'avoir avalé ses lunettes. Alain avait perdu l'usage de la parole.

Marie-Anne se sentait tout étourdie et ne comprenait plus rien à ce qui se passait. Elle s'appuya contre un mur et prit une grande inspiration. Antoine, quant à lui, éclatait de joie et de fierté. On lui aurait annoncé qu'il avait été nommé dégustateur en chef de la chocolaterie *Laura Secord*, il n'aurait pas été plus content.

Jean-Guy s'approcha du lit où Alfred, monté sur un pli de couverture, prenait des airs avantageux :

— Mais qui vous a montré à parler ?

(Imaginez ! il vouvoyait un rat !)

— Eh ben... mes parents, répondit Alfred, étonné de nouveau par la question.

— Mais qui leur a montré à parler à eux ?

— Oh, je suppose qu'ils l'ont appris en vous écoutant. Vous parlez tellement !

— Je suis complètement soufflé, murmura Alain. On dirait un rêve.

— Wa ! wa ! wa ! criait Judith en s'agitant de plus en plus.

— Et vos parents, poursuivit Marie-

Anne d'une voix tremblante, ils vivent dans la maison eux aussi ?

— Non, ils sont partis, répondit sèchement Alfred.

Et à son air, on voyait qu'il avait le goût de changer de sujet.

— Il y a beaucoup de rats comme vous qui savent parler ? reprit Jean-Guy.

— Tu peux le tutoyer, papa, fit Antoine. N'est-ce pas, Alfred ?

— Bien sûr, on est entre amis. Je ne le sais pas, répondit le rat en réponse à Jean-Guy. Je ne les ai pas comptés. Il y en a quelques-uns. Ma famille ne fréquentait pas beaucoup le voisinage.

— C'est extraordinaire, murmura Jean-Guy. Je n'en dormirai pas de la nuit.

— Et moi donc ! soupira Marie-Anne.

Elle se tourna vers son mari :

— Qu'est-ce qu'on fait ?

Il hésita un instant, puis :

— On va se coucher et on en discutera demain matin. Mais je ne veux pas que tu dormes avec mon fils, ajouta-t-il aussitôt en s'adressant au rat.

Ce dernier haussa les épaules :

— Je n'en ai pas la moindre envie. J'aurais peur de mourir étouffé dans les couvertures.

Antoine sauta en bas de son lit, saisit la boîte à chaussures et la montra à tout le monde :

— Le voilà, son lit, annonça-t-il fièrement. C'est mon idée à moi.

Alain s'approcha pour l'examiner.

— Au fait, demanda-t-il tout à coup à l'animal, est-ce que vous... est-ce que tu portes un nom ?

— Ignace-Henri-Jean-Théodore. Mais je préfère qu'on m'appelle Alfred.

Tout le monde l'observait avec un étonnement respectueux, sauf Judith qui continuait de se tortiller dans les bras de sa mère, saisie de l'envie soudaine de lui tirer la queue.

Jean-Guy la prit et se dirigea vers la porte :

— Eh bien, bonne nuit, fit-il en jetant un regard inquiet à son fils.

— Bonne nuit, ajouta Marie-Anne avec effort.

L'idée qu'Antoine dorme à côté d'un rat, même doué de parole, les effrayait.

— Bonne nuit, fit Alain avec un petit salut de la tête à l'intention d'Alfred.

— Minute, lança ce dernier.

Tous les regards se tournèrent vers lui.

— Il faut que je pisse, moi, à la fin. Je suis sur le point d'éclater, bon sang !

# 5

Le matin, pour faire lever Antoine, il fallait presque mettre le feu à ses couvertures. Vers huit heures moins vingt, après s'être fait appeler entre douze et vingt et une fois et avoir été averti sur tous les tons qu'il allait arriver en retard à l'école, il descendait enfin l'escalier à pas très lents et pénétrait dans la cuisine. Là, il déjeunait seul en pyjama (car tous les autres avaient déjà terminé) et il n'y avait que le poisson rouge dans son bocal pour l'entendre se plaindre qu'Alain avait vidé le pot de confitures, bu tout le jus d'orange ou mangé jusqu'à la dernière miette de *Croque-Nature*.

Mais ce matin-là — ô miracle ! — il se leva à sept heures, s'habilla... et fit même son lit !

C'est qu'il avait l'intention de demander à ses parents d'adopter Alfred, rien de moins, et il voulait mettre toutes les chances de son côté.

— Tiens, tiens, de la grande visite, s'étonna Jean-Guy, narquois, en le voyant apparaître dans la cuisine.

— Bonjour, tout le monde, fit Antoine. Salut, mon petit coco d'amour, ajouta-t-il en s'approchant de sa sœur, assise bavette au cou dans sa chaise haute, et il lui caressa le bout du menton.

— Tone, Tone, Tone (c'est-à-dire Antoine), lança cette dernière en agitant les bras, estomaquée de voir son frère levé si tôt.

Antoine prit place à table et se remplit un verre de jus d'orange.

— Tu es sûr que tu ne dors pas ?

lui demanda Alain avec un sourire persifleur.

L'autre ne répondit rien, ce qui en soi était un événement.

— Comment va Alfred ? lui demanda Jean-Guy.

— Bien. Il dort. Je n'ai pas osé le réveiller.

— Ce matin, fit Alain, je me suis levé à cinq heures et je l'ai entendu ronfler.

— C'est vrai, il ronfle. Mais pas très fort. Tu sais, maman, j'ai fait mon lit ce matin.

— Eh bien, je te félicite, mon cher. J'espère que c'est le début d'une bonne habitude.

— Oui, oui. J'ai décidé de le faire chaque matin, désormais.

Il se versa des céréales dans un bol et ajouta du lait. Marie-Anne et Jean-Guy le regardaient avec un petit sourire amusé.

Alain se leva de table :

— Je vais aller jeter un coup d'œil sur Alfred. Tout à coup qu'il se serait couché dans ton lit ?

— Non, non, ne le dérange surtout

pas ! lança Antoine. Je suis sûr qu'il dort dans sa boîte. C'est un rat très bien élevé.

— Je t'en prie, Alain, reste assis, intervint Marie-Anne.

C'est à ce moment précis que Judith prit son plat de yogourt aux bleuets et se le versa lentement sur la tête.

Une fois la commotion passée, Antoine alla déposer son bol, son verre et sa cuillère dans le lave-vaisselle (une autre première mondiale) puis, se tournant vers son père :

— Papa, fit-il d'une voix un peu tremblante, est-ce qu'Alfred pourrait demeurer à la maison ? On s'est beaucoup parlé hier. Il ne peut plus vivre dans les tuyaux d'égout : l'humidité lui donne des rhumatismes. Si on ne fait rien, il finira par mourir. Il a besoin d'un endroit sec et propre. Il a besoin de vivre chez nous.

Il fit un pas en avant et joignit les mains :

— Est-ce que je peux le garder ?

— Dé dé dé, chanta Judith et elle lança sa cuillère sur la table.

— Le garder ? répéta Jean-Guy, embarrassé. Le garder ici à la maison ? Hum...

Il consulta Marie-Anne du regard.

— S'il te plaît, papa ! Nicolas Laperrière a bien un raton laveur, lui. Il dort avec dans son lit et personne ne se plaint.

— Moi, suggéra Marie-Anne, je ferais d'abord examiner Alfred par un vétérinaire...

— C'est ça ! approuva Jean-Guy. Il faut le faire examiner. Il a beau parler et être le rat le plus gentil au monde, notre santé est plus importante que tout. Je n'ai pas envie que nous attrapions la peste, tout de même. C'est le vétérinaire qui décidera.

— J'espère, fit Alain, que vous allez en consulter un bon.

# 6

On se rendit dans la chambre d'Antoine pour annoncer la décision au rat. Mais ce dernier refusa net.

— Je connais le truc. Vous allez me foutre dans une cage et je n'en sortirai plus jamais. Non merci ! je n'ai pas envie de finir ma vie dans un laboratoire. Je préfère mes tuyaux d'égout.

— Mais il le faut, mon vieux, répondit Jean-Guy. Sinon, sans le vouloir, tu risquerais de nous transmettre des maladies.

— La peste, hein ? fit Alfred avec une grimace moqueuse.

— La peste, oui, et la rage et je ne sais quoi d'autre.

— Pfa ! des histoires de ma grand-mère... Il n'y a que les imbéciles pour croire ça. On n'a pas entendu parler d'épidémies de peste depuis au moins 150 ans.

Jean-Guy essaya d'expliquer au rat qu'il pouvait porter des germes de maladie sans en être affecté lui-même et les transmettre par contact à son entourage. Rien n'y fit. Les moustaches hérissées, Alfred secouait la tête, l'œil mauvais, et donnait des coups de pattes contre sa boîte de carton. La discussion dura plus de vingt minutes. Antoine, les larmes aux yeux, ne cessait de lui répéter qu'on le ramènerait à la maison une fois l'examen terminé. Finalement, le rat poussa un grand soupir et accepta.

— Mais, ajouta-t-il aussitôt, si vous dites à quiconque que je sais parler...

— Quiconque ! murmura Alain,

émerveillé. Tu parles d'un rat ! Une vraie encyclopédie !

— ... je ne dirai plus jamais un mot, poursuivit Alfred, et c'est vous qui passerez pour des idiots.

— Pourquoi ne veux-tu pas qu'on sache que tu parles ? s'étonna Marie-Anne.

— Drôle de question ! Regardez-vous donc : depuis hier que vous me fixez avec des yeux grands comme des assiettes. Vous imaginez, si tout le monde apprenait la nouvelle ? La maison ne désemplirait pas, on m'embêterait jour et nuit, il faudrait que je retourne dans mes tuyaux d'égout. Non non non ! Devant les autres, je ne dirai pas un mot, et gare à celui qui va me trahir : je vais lui jeter un sort.

• • •

Il fallut ensuite le persuader d'entrer dans une ancienne cage à hamster pour le transporter chez le vétérinaire. Ce ne fut pas facile.

— Il faut avoir confiance en nous, Alfred, lui disait Antoine. Tu as cinq amis, maintenant. Est-ce que tu me crois ?

— J'essaye, grogna Alfred.

On ouvrit la porte de la cage. Il finit par y entrer, de mauvaise grâce.

— Ça pue ici, marmonna-t-il. Vous n'auriez pas un désodorisant ?

Il était huit heures. Antoine et Alain devaient aller à l'école et Jean-Guy, à sa pharmacie. C'est donc Marie-Anne et la petite Judith qui furent chargées de porter Alfred chez le vétérinaire. Antoine lui souhaita bonne chance.

— Je ne sais pas comment je vais faire pour passer une journée là-dedans, grogna Alfred.

— Une journée, et peut-être deux, fit Jean-Guy en embrassant Marie-Anne.

— Deux ! s'écria Alfred, horrifié.

— Je viendrai te visiter, lui souffla Antoine.

— Et ça me donnera quoi ? On ne pourra pas se parler.

— Je te ferai des sourires... Je te caresserai avec le bout de mon doigt.

Alfred le fixa un instant et tout à coup ses yeux s'adoucirent.

• • •

En apercevant le rat, le docteur Cassegrain fit une grimace un peu dégoûtée :

— Où avez-vous pêché ça ?

Alfred lui lança un regard furibond, mais garda silence.

— Oh ! c'est mon fils qui l'a trouvé dans la cave. Figurez-vous qu'il en est tombé amoureux !

— Et vous voulez vous en débarrasser ?

Sous son pelage gris, Alfred devint blanc comme une tempête de neige.

— Non, non, au contraire, répondit Marie-Anne, un peu gênée. On a décidé de le garder.

— Il faut craindre les morsures. Elles pourraient causer des maladies graves.

— Eh bien, je vous l'apporte justement pour que vous l'examiniez. Si l'animal est sain, il n'y a aucun danger, non ?

— Qu'est-ce que c'est que ce pansement qu'il a sur le ventre ? demanda le vétérinaire sans répondre à sa question.

— Il s'est coupé, paraît-il. C'est mon fils qui le lui a posé.

— Il n'est pas très prudent, votre fils ! J'espère qu'il portait des gants.

Il observa Alfred un moment, puis se tournant vers Marie-Anne :

— Moi, à votre place, madame, je l'éliminerais. Je ne vois pas quel agrément il y a à garder chez soi un rat d'égout.

— Que la peste t'emporte, marmonna Alfred dans sa moustache. Que les oreilles te sèchent et que ton nez se transforme en carotte pourrie.

Marie-Anne sourit :

— J'ai promis à mon fils de le ramener à la maison. Il ne me pardonnerait jamais si je manquais à ma parole.

— Bon, fit le vétérinaire en haussant les épaules, nous allons l'examiner, alors. Je vais le nettoyer, lui faire des prises de sang et une analyse d'urine. Je vous téléphonerai dans trois jours.

— Trois jours ! s'exclama Alfred malgré lui.

— Vous avez dit quelque chose ?

demanda le vétérinaire en se tournant vers Marie-Anne.

— Moi ? Non, rien.

Et, discrètement, elle fit signe au rat de se taire.

Le docteur Cassegrain la reconduisit à la porte :

— Et si je lui découvre une maladie, qu'est-ce que je fais ? Je l'élimine ?

— Surtout pas. Téléphonez-moi, plutôt.

• • •

Au bout de trois jours, Alfred revint à la maison de fort méchante humeur :

— Alors, vous êtes satisfaits, là ? Je n'ai ni la peste ni la rage ni le sida — ni même le rhume de cerveau.

Il était six heures. Tout le monde l'écoutait en silence pendant que la soupe mijotait sur le poêle.

— Mais, par contre, j'ai failli mourir à cause de ce vieux dégueulasse ! Figurez-vous qu'il est allé jusqu'à me piquer le bout de la queue ! Et puis, il me donnait de la nourriture pour chiens ! Et pas moyen de dormir : ça jappait, ça miaulait, ça sifflait, ça roucoulait, ça criait, ça hurlait, j'ai pensé devenir fou ! Je le suis peut-être devenu, d'ailleurs.

— Pauvre Alfred, murmura Antoine, tout ému. Calme-toi, c'est fini, maintenant.

— Sans compter que la vie en cage ne me vaut rien : j'ai mal aux reins plus que jamais.

Il jeta un long regard haineux vers sa cage posée sur le plancher, puis se mit à ricaner :

— Mais je me suis vengé. Chaque fois qu'il avait le dos tourné, ce vétéritortionnaire, je lui criais : merde ! À la fin, les yeux lui sortaient de la tête, il voyait des fantômes partout. Et ce matin, il est allé consulter un psychiatre.

— Bon, conclut Jean-Guy. Voilà une chose de réglée. Et maintenant, qu'est-ce qu'on fait de toi ?

Alfred posa sur lui un regard étonné:

— Eh ben, quoi... vous me gardez, puisque vous me l'avez promis.

— Alors il faudra que tu vives comme nous, répondit Jean-Guy, l'œil sévère, que tu respectes nos règles d'hygiène et que tu suives notre horaire. Je sais que les rats aiment s'amuser la nuit. Eh bien, je t'avertis : quand on dort, il faudra que tu dormes aussi. Sinon...

— Sinon quoi ? demanda Alfred, moqueur.

— Sinon... euh...

Ne sachant que répondre, Jean-Guy se tripotait les doigts, embarrassé.

— On pourrait lui faire une chambre au grenier, proposa Alain. Il ne dérangerait personne.

— Non ! rétorqua Antoine. Je veux qu'il dorme dans ma chambre. C'est mon ami.

Alfred s'éclaircit la gorge (cela fit comme un léger frottement de papier sablé) :

— À bien y penser, je... préférerais le grenier... mais au-dessus de ta chambre, ajouta-t-il aussitôt en fin diplomate. C'est que j'ai besoin d'intimité, moi aussi. Vous pourriez peut-être me construire un petit escalier... ou m'installer un ascenseur ?

Judith l'observait tranquillement depuis quelques minutes, assise sous la table de la cuisine ; elle se glissa tout à coup vers lui, vive comme une couleuvre, et le saisit par le milieu du corps.

— Aie ! aie ! aie ! laisse-moi, couina Alfred en gigotant.

— Judith, cria Marie-Anne en se pré[illegible] vers elle, affolée, laisse-le, il v[illegible]

[illegible] main et Alfred s'é[illegible] er.

[illegible] elle m'a cassé les re[illegible]

[illegible] a Judith avec un gr[illegible]

[illegible] rès d'Alfred. Son o[illegible] l en point que ses reins. Cinq [illegible] plus tard, il s'était remis. Mais il gardait un œil inquiet sur Judith et s'éloignait dès qu'elle faisait mine d'approcher.

— Alfred vient de réussir un test important, annonça Jean-Guy à ses fils. N'importe quel rat aurait mordu votre sœur. Mais il s'est comporté comme un véritable animal apprivoisé. Je pense qu'il est prêt à vivre avec nous.

Antoine poussa un grand soupir. Il était aux anges.

# 7

On installa donc une chambre au grenier pour Alfred. Elle se trouvait juste au-dessus de la chambre d'Antoine, reliée à celle-ci par un minuscule escalier en colimaçon installé dans la garde-robe. Le rat se plaignit d'abord d'éprouver des étourdissements quand il montait ou descendait l'escalier, mais comme il se plaignait de tout et de rien, on n'y fit pas très attention et il finit par s'habituer.

Alfred était ravi d'avoir sa chambre

à lui. On l'avait meublée d'un petit lit de poupée en très bon état qu'Alain avait trouvé dans une poubelle, d'un plat à litière pour ses besoins nocturnes et d'une boîte à cigares remplie de noisettes et d'arachides pour ses fringales entre les repas.

Mais deux ou trois fois par semaine, Alfred venait passer la nuit avec Antoine à l'insu de ses parents. Il se couchait sur le couvre-pieds, enroulé dans une serviette, et filait à sa chambre au petit matin avant que ces derniers se réveillent.

On s'habitue à tout, même à la propreté. Alfred lança les hauts cris quand Marie-Anne lui annonça un bon matin que dans cette maison, on prenait son bain chaque jour et que s'il voulait y demeurer, il devrait suivre la consigne. Tant que son pelage n'était pas trop collant ou encroûté, Alfred se considérait comme propre ; l'eau et le savon lui apparaissaient plutôt comme des médicaments. Et puis, disons-le, il était épouvanté par la grosseur de la baignoire, où il craignait de se noyer, car il nageait plutôt mal.

Alors deux ou trois jours après son arrivée, Antoine acheta un plat à vaisselle, le remplit d'eau tiède et ajouta deux bouchons d'un bain de mousse que son père lui avait apporté de la pharmacie. Puis il appela Alfred.

— Hum... ça sent bon, fit le rat en pénétrant dans la salle de bains. On dirait du camembert.

— C'est un nouveau bain de mousse à base de légumes.

— Et qu'est-ce que tu veux laver dans ce plat ? demanda Alfred, tout à coup méfiant.

— Toi.

— Pas question. Je peux me laver tout seul.

— Tu es sûr ?

— Tu te laves bien seul toi-même. Je ne suis pas infirme, que je sache.

— Alors, vas-y, mon vieux.

— Combien as-tu mis d'eau ?

— Oh, dix centimètres, pas plus.

— Bon... Je te demanderais de sortir, s'il te plaît. Mon intimité.

Antoine se mit à rire :

— Tu me prends pour un niaiseux ou quoi ? Tu vas faire semblant de te laver et au bout de dix minutes, tu vas sortir de la salle de bains aussi crasseux qu'avant.

— Ah oui ? Regarde un peu.

Alfred prit son élan et sauta dans le plat à vaisselle. Tout le plancher en fut éclaboussé.

— Et maintenant, est-ce que tu pourrais sortir, s'il te plaît ? demanda-t-il en dressant sa tête couverte de mousse.

Antoine obéit. En fermant la porte, il entendit le rat murmurer :

— Hum... il sent vraiment bon, ce bain de mousse.

Alfred se prélassa dans l'eau quelques minutes, puis appela son ami pour se faire essuyer.

— Allez, vite, vite, je grelotte. Je vais attraper mon coup de mort. Comment il s'appelle, ce bain de mousse ?

Antoine saisit la bouteille :

— Euh... *Relaxo-Nature*...

Il dévissa le bouchon et renifla le goulot :

— C'est vrai qu'il sent un peu le fromage...

— Dis donc, fit Alfred pendant que

son ami finissait de le masser avec une serviette-éponge, est-ce que tu ne pourrais pas m'en verser deux ou trois gouttes sur un morceau de pain ?

Antoine posa sur lui un regard stupéfait :

— Du bain de mousse, Alfred, ce n'est pas comestible !

— Je sais, je sais... mais ça sent tellement bon. Tu ne penses pas que si je faisais seulement qu'y goûter un tout petit peu...

— Perds-tu la tête ? Tu risques d'être malade comme un chien.

— Bon, bon, ça va, je n'insiste pas... Si c'est pour faire un drame...

Mais à partir de ce jour, Alfred attendit avec impatience l'heure du bain. Au début, il y passait dix ou quinze minutes, mais bientôt il fallut frapper à la porte pour lui demander de laisser la place aux autres. Et, bien sûr, Jean-Guy dut apporter à la maison quelques bouteilles de *Relaxo-Nature*, car il n'était pas question pour Alfred d'en manquer.

Tout allait bien, en somme. Alfred s'était fait sa petite place dans la famille Brisson. Comme il avait solennellement promis de toujours utiliser sa litière, on le laissait se promener partout dans la maison. Il passait une bonne partie de l'après-midi à dormir sur le canapé du salon, premier coussin à gauche. Son mal de reins avait presque disparu et son caractère s'améliorait peu à peu ; il ne se montrait vraiment désagréable que lorsqu'on le méritait. Par exemple, si on lui marchait sur la queue, ou qu'on riait de son filet de voix ou qu'on oubliait de l'inviter à voir un film à la télé, etc. Dès qu'un visiteur se présentait, il disparaissait au grenier et ne redescendait qu'après son départ.

Cela chagrinait beaucoup Antoine, qui aurait bien aimé le présenter à ses amis Robert Legault ou Michel Blondin ou à sa petite voisine, Virginie Leblond, qui adorait les animaux (surtout les crapauds).

Mais Alfred refusait de les voir :

— Qu'est-ce que ça me donne, si je ne peux pas leur parler ? Ils vont m'obliger à leur faire la belle comme un idiot, à courir dans des tubes de carton, à manger de la laitue. Merci, très peu pour moi, j'ai passé l'âge.

— Alors, parle-leur, pauvre toi. Tu n'en mourras pas.

— Il n'en est pas question, répondit sèchement Alfred. Ma paix avant tout.

Antoine se pencha vers son compagnon, l'œil suppliant :

— J'aimerais tant ça, Alfred, apprendre à mes amis que je possède un rat parlant.

— Tu ne me possèdes pas, répliqua l'autre, je me possède moi-même.

— Ah ! vraiment, toi, on ne peut rien te dire ! Que le diable t'emporte, espèce de sac à clous !

Alfred, offensé, trottina dignement jusqu'à la garde-robe et monta au grenier. Mais deux minutes plus tard, Antoine s'excusait, l'assurant qu'il ne ressemblait pas du tout à un sac à clous ni à aucun autre sac, et il finit par le convaincre de redescendre.

— Dis donc, Alfred, proposa-t-il pour se montrer agréable, que dirais-tu d'une petite promenade en ville ?

— Une promenade en ville ? Tu n'y

penses pas ! Le premier passant venu va vouloir m'écraser à coups de talons !

— Je pourrais te glisser dans la poche de mon coupe-vent, tu n'aurais qu'à sortir un peu la tête et tu verrais tout. Je suis sûr que tu n'as jamais visité la ville à ton goût.

— Ah, ça, tu peux le dire. À part les tuyaux d'égout et les fonds de poubelles, je ne connais pas grand-chose.

— Eh bien, j'enfile mon coupe-vent et on part.

Antoine l'amena d'abord au parc, où se dressait la statue du soldat mort à la guerre, puis sur la place du marché. Ils entrèrent dans une épicerie ; Alfred n'avait jamais vu tant de nourriture à la fois et se mit à saliver tellement que la poche du coupe-vent devint toute mouillée. Antoine acheta alors un sac de croustilles qu'ils se partagèrent, cachés derrière un hangar.

Ils se rendirent ensuite à la pharmacie de monsieur Brisson. Ce dernier servait une vieille dame à la tête agitée d'un curieux tremblement ; il aperçut Alfred dans la poche du coupe-vent de son fils et lui envoya un salut discret. Le rat en fut tout flatté.

Antoine proposa alors d'aller faire le tour du garage municipal près de la rivière. Derrière le bâtiment se dressait un énorme cèdre qui servait de tour d'observation à Antoine et à ses amis. Celui-ci grimpa jusqu'à la cime pour qu'Alfred puisse profiter du panorama. Le rat avait un peu le vertige mais il trouva l'expérience formidable : jamais il n'avait vu tant de cheminées !

Il revint à la maison d'excellente humeur.

— Tu sais, Antoine, lui dit-il au moment d'aller se coucher, je trouve la vie beaucoup plus intéressante depuis que je te connais.

Antoine se pencha et l'embrassa sur le front. Puis il attendit qu'Alfred monte à sa chambre et alla se laver les lèvres à la salle de bains.

Il n'était pas encore tout à fait habitué à vivre avec un rat.

Pendant les jours qui suivirent, il combla Alfred de gentillesses (car une idée lui trottait par la tête). Il l'emmena se promener deux ou trois fois dans la ville, lui donna un vieux bas de laine en guise de sac de couchage et lui prêta des bandes dessinées (Alfred ne savait pas lire, bien sûr, mais il pouvait suivre une histoire en observant les images). Aussitôt revenu de l'école, il montait en courant à sa chambre et l'invitait à venir prendre un chocolat chaud.

Finalement, un après-midi, Alfred céda à ses supplications et accepta qu'Antoine le montre à Robert Legault et à Michel Blondin, ses deux plus grands amis.

— Mais je ne dirai pas un mot, tu m'entends ? Je vais être muet comme un bâton de chaise. Et toi, il faut que tu me promettes encore une fois de garder le secret.

Antoine promit.

La réaction de ses deux amis le déçut. À la vue d'Alfred, ils eurent un mouvement de surprise, marqué d'un peu de dégoût, puis, après l'avoir taquiné deux ou trois fois avec une paille, ils se désintéressèrent complètement de lui.

— Je ne vois pas ce que tu lui trouves, à ton rat, déclara même Robert au moment de partir.

Antoine eut un sourire mystérieux :

— Eh bien, un jour, vous verrez peut-être.

— On verra quoi ? demanda Michel.

— Je n'ai pas le droit de le dire.

— Ah non ? ricana Robert. C'est Alfred qui t'en empêche ?

— Si on veut.

Ils se mirent à le taquiner tellement qu'Antoine se fâcha ; il frappa Robert dans le ventre et mordit le bras de Michel. En échange, il reçut un coup de pied sur le genou gauche et on lui préleva une petite touffe de cheveux. Quand les amis se quittèrent, ils n'étaient plus amis du tout.

— J'espère que tu vas aller bientôt vivre au pôle Nord, ou même en Angleterre, lança Michel en lui faisant un pied de nez.

— Tu devrais toujours fréquenter des rats, lui conseilla Robert. Vous vous ressemblez.

Le lendemain à l'école, ils se boudèrent toute la journée.

Cet après-midi-là, Antoine revint à la maison la mine abattue et n'invita pas Alfred pour son chocolat chaud. C'est le rat, intrigué, qui s'amena de lui-même dans la cuisine. Il trouva son ami accoudé à la table et l'air aussi gai que si on l'avait obligé à faire 889 multiplications à huit chiffres durant la fin de semaine.

— Qu'est-ce qui ne va pas ?

— Tout.

— Tu es encore en chicane avec tes amis ?

— Oui, et c'est de ta faute.

— C'est de ma faute ? s'étonna Alfred, et son front se plissa.

Alors Antoine lui décrivit les moqueries dont il avait été l'objet. Au train où allaient les choses, il passerait bientôt pour un fou dans toute l'école.

— Et pourquoi ? Parce que tu refuses de parler devant mes amis. Eh bien, veux-tu que je te dise ?

— Quoi ?

— Tu es le rat le plus égoïste de toute l'Amérique. À partir d'aujourd'hui, ton chocolat chaud, tu te le prépareras toi-même.

Sur ce, il sauta en bas de sa chaise, courut à sa chambre et se jeta sur son lit pour pleurer.

— Qu'est-ce qui se passe ? fit Alain en apparaissant dans la porte. T'as fait pipi dans tes culottes ?

En guise de réponse, Antoine lui lança un livre par la tête. Le livre frappa son épaule et retomba sur le tapis à deux centimètres d'Alfred. Ce dernier leva un regard furieux vers Alain :

— Dis donc, toi, t'es drôle comme un avis de décès. Va donc dehors regarder voler les mouches.

Il grimpa sur le lit et s'approcha d'Antoine :

— Ferme la porte, veux-tu ? J'ai à te parler.

Ils eurent une longue conversation. Alain essaya de la surprendre, l'oreille collée contre la serrure. Mais, par prudence, Antoine avait mis en marche une cassette de Rock et Belles Oreilles et tout ce que son frère put entendre furent les mots « secret » et « dynamite », prononcés à plusieurs reprises.

Vers six heures, Antoine et Alfred descendirent pour le souper. Ils étaient d'excellente humeur.

# 8

Pendant la récréation, Antoine était allé trouver Michel et Robert et leur avait donné rendez-vous après l'école derrière la remise dans le fond de sa cour, là où il était sûr que personne ne pourrait surprendre leur conversation.

Comme ils semblaient réticents, il leur avait promis à chacun une bouteille de bière d'épinette et un *Mae West*.

— Je me demande bien ce qu'il

nous veut, fit Robert en s'avançant sur le trottoir, sac au dos.

— Bah ! il va s'excuser pour avant-hier, répondit Michel.

Robert prit un air soucieux :

— Alors, il faudra peut-être s'excuser nous aussi. Je lui ai donné un coup de pied sur le genou et je l'ai traité de rat d'égout.

— On s'excusera, c'est pas plus grave que ça... Je m'excuse souvent, moi, à la maison. Ça me fait ni chaud ni froid.

Ils pénétrèrent dans la cour, passèrent devant le carré de sable et longèrent la remise.

Antoine les attendait derrière, appuyé contre la clôture. Il avait un sac à la main et Alfred était couché sur son épaule.

— Salut, fit-il.

— Salut, répondirent Robert et Michel.

Ils se regardèrent en silence, un peu gênés.

— J'ai apporté la liqueur et les *Mae West*, annonça Antoine. Les voulez-vous tout de suite ?

— Ça ne presse pas, répondit Michel par politesse.

Mais il lorgnait le sac avec l'air de vouloir le manger.

Robert tendit le doigt vers Alfred :

— Il a l'air drôle, aujourd'hui, ton rat.

— C'est de lui que je veux vous parler.

Il plongea la main dans le sac et distribua les gâteaux, les bières d'épinette et les pailles.

— Qu'est-ce que tu veux nous dire ? demanda Michel, la bouche pleine.

— Je veux vous confier un secret. Mais il faut d'abord me jurer de n'en parler à personne.

Robert et Michel échangèrent un regard étonné.

— Pour combien de temps ? demanda Robert, narquois.

— Pour toujours, répondit tout à coup Alfred, sinon je vous saute au visage.

Les deux garçons eurent un mouvement de recul et faillirent trébucher sur une branche morte.

— Qu'est-ce que c'est ça ? bafouilla Michel. Il parle ?

— Quand je vous disais qu'il était intelligent, s'exclama Antoine, tout rouge de contentement.

Dix minutes plus tard, il leur avait raconté son aventure avec Alfred, et ses deux amis commençaient à revenir un peu de leur ahurissement.

— Et tu nous a caché ça pendant tout ce temps ? s'exclama Robert en posant sur Antoine un regard plein de respect et d'envie.

— Fallait bien, mon vieux. Alfred m'obligeait à garder le secret. Il veut la paix, tu comprends.

— C'est une grande faveur que je vous fais, souligna le rat. Et c'est uniquement à cause d'Antoine. Pour que vous cessiez de vous moquer de lui comme des petits cons.

Michel, qui avait une grande capacité pour s'adapter aux circonstances les plus étranges, tendit la main :

— Est-ce que je peux te prendre sur mon épaule, Alfred ?

— Oui, mais fais attention de ne

pas m'échapper. L'autre fois, si je n'étais pas tombé sur un coussin, je me pétais la gueule.

— Quelle drôle de voix il a, pensa Robert. On dirait une vieille penture.

Michel posa Alfred sur son épaule. Les trois garçons s'assirent par terre et se mirent à boire leur bière d'épinette.

— Vous n'avez pas encore juré de garder le secret, dit soudain Alfred. Il faut jurer tout de suite. Tendez la main et répétez après moi.

L'air grave, Michel et Robert tendirent la main.

— Je jure, prononça lentement Alfred, que si jamais je révèle à quiconque...

« Quiconque ! s'émerveilla intérieurement Michel. Il en sait des mots pour un rat ! »

— ... qu'Alfred sait parler, je vais lui permettre de me mordre au visage autant de fois qu'il le voudra.

Se retenant avec peine de rire, les deux garçons jurèrent.

— Tu ne feras pas ça, hein, Alfred ? demanda Antoine, inquiet.

— Essayez, vous verrez bien, menaça Alfred. Mais ce n'est pas tout. Maintenant il faut prononcer la grande formule solennelle.

— Ah bon, firent Michel et Robert.

— Après l'avoir prononcée, si vous rompez votre promesse, un grand malheur peut vous arriver.

— Lequel ? demanda Michel.

— Je ne sais pas. Il y en a trop de sortes. La formule est celle-ci :

Trouille la bidouille.
Gratte le lapin.
Si ma langue cafouille
Je meurs de chagrin.

Les deux garçons répétèrent la formule ; ils n'avaient plus envie de rire maintenant. Malgré son allure un peu ridicule, cette suite de mots étrange semblait contenir une menace épouvantable. Leur gorge se serra. Ils regrettèrent de s'être ainsi engagés ; c'était comme si une partie de leur vie venait de leur échapper.

— Qu'est-ce qui arrive, demanda Michel, si on découvre notre secret malgré nous ?

— Rien. Ça ne compte pas.

Les garçons buvaient leur bière d'épinette en silence, tout impressionnés par la cérémonie qui venait de se dérouler.

— J'ai soif, moi aussi, remarqua Alfred au bout d'un moment.

Antoine fouilla dans le sac à ses pieds :

— Il me reste une paille. Veux-tu boire avec moi ?

— On va tous boire dans la même canette, décida Alfred. Ça va sceller la promesse. D'accord ?

— D'accord, firent les garçons.

Antoine tendit la sienne. Ils plongèrent leur paille dedans. Alfred aspirait le liquide avec beaucoup de difficulté ; de la bière d'épinette coulait par les commissures de sa gueule jusque sur son ventre.

— Ça picote la gorge en diable, réussit-il à dire entre deux gorgées.

Mais en émettant cette opinion, il avala de travers et s'étouffa net. La gueule grande ouverte, il se mit à produire des bruits bizarres qui rappelaient le son d'un minuscule accordéon. Antoine le déposa par terre et se mit à lui tapoter le dos.

— Tiens-le par la queue, la tête en bas, suggéra Michel.

— Couche-le sur le dos et pèse-lui sur la bedaine, proposa Robert.

— Ça va, ça va, laissez-moi, lança Alfred, la voix tout enrouée, vous allez me tuer, à la fin !

Il toussa encore un peu, se secoua comme un chien mouillé, fit quelques pas dans les feuilles mortes, puis se retourna ; il était furieux :

— C'est la dernière fois de ma vie que je bois de cette affreuse chose. J'ai failli mourir.

Antoine se mit à rire :

— Alors, à partir d'aujourd'hui, on te donnera du lait.

— Du lait, mon œil ! siffla Alfred.

Puis se tournant vers Michel et Robert :

— Quant à vous deux, c'est pas la peine de vous mettre la main devant la bouche. Je sais fort bien que vous êtes en train de vous payer ma gueule. Vous n'êtes que des sans-cœur, même pas dignes de connaître mon secret.

Il fit mine de s'en aller, mais on s'excusa tellement qu'il finit par changer d'idée.

— Je préférerais qu'on aille jaser dans la remise, fit-il au bout d'un moment. Y a moins de chances de se faire surprendre par des écornifleurs.

— Bonne idée, répondirent les garçons.

Alfred demanda à visiter les lieux. On le promena partout et il se fit même déposer sur le tas de vieilles planches et de bric-à-brac que monsieur Brisson avait entassé au-dessus des têtes sur les entraits du toit ; il s'y promena quelques minutes, tout content, et découvrit un cadavre de moineau séché dans le fond d'un seau. Il le renifla un moment, puis demanda à descendre. Antoine tendit la main et le déposa sur le sol.

— C'est très bien ici, fit-il en souriant. Qu'est-ce que vous diriez si on y installait un local pour des réunions secrètes ? Suffirait de trouver une échelle.

Robert se mit à sautiller de joie :

— Mon père en a une. Il ne s'en

sert jamais. C'est une idée superbe !

— Moi, je pourrais amener un vieux tapis, proposa Michel. Ça serait plus confortable. Y a une grande tache d'huile au milieu, mais elle est toute séchée.

— Des réunions secrètes pour quoi ? demanda Antoine, étonné.

— Pour qu'on puisse se parler à l'aise, petite tête, répondit Alfred avec un haussement d'épaules. Posez-moi sur cette boîte, voulez-vous ? Je sens un courant d'air entre les pattes.

Ils causèrent encore une bonne demi-heure de l'aménagement de leur local, puis Michel et Robert durent aller souper.

— C'est drôle, confia Michel à son ami, on dirait qu'Alfred est devenu notre chef.

Ils s'arrêtèrent sur le trottoir et se regardèrent un moment sans parler, tout ébahis à l'idée d'être dirigés par un simple rat d'égout.

# 9

Robert et Michel avaient rapidement gagné la sympathie d'Alfred, même si ce dernier les trouvait parfois un peu bruyants et agités. Antoine voulut alors lui présenter d'autres camarades. Mais Alfred refusa net :

— Trop d'amis, mon cher, c'est comme pas d'amis du tout. On est déjà sept à savoir que je parle. Ça suffit comme ça.

Alfred prit l'habitude d'aller faire chaque jour une promenade en ville avec Antoine et ses deux camarades. Il se tenait parfois sur l'épaule de l'un d'eux, car il pouvait ainsi tout voir à son aise. Mais cela attirait l'attention. Un jour, un gamin lui lança une roche qui l'atteignit à la tête. Le voyou en récolta un coup de poing, et Alfred, une prune qui mit trois jours à disparaître et l'amena encore une fois chez son vétérinaire tant détesté.

Aussi, la plupart du temps s'installait-il dans la poche d'un coupe-vent, la tête discrètement sortie, se cachant au moindre signe de danger.

C'est lui qui fixait l'itinéraire des promenades. Il tenait à voir chaque coin de la ville. Un jour, ils se rendirent au dépotoir. Mais l'odeur des déchets l'écœura.

— Je perds l'habitude, soupira-t-il. Et dire qu'auparavant, ça me faisait saliver ! Ah ! si mon père me voyait, comme il aurait honte de moi !

— Tu ne nous parles jamais de tes parents, s'étonna Michel un jour. Est-ce qu'ils demeurent dans la ville ? Les vois-tu parfois ?

Alfred le regarda droit dans les yeux :

— Si je ne vous en parle jamais, c'est parce que ça ne vous regarde pas.

Et il changea de sujet.

Depuis qu'il avait cessé de se nourrir dans les poubelles et les tuyaux d'égout, ses pustules avaient disparu, son pelage était devenu soyeux et avait pris une belle teinte gris-argent. Sa voix était également un peu moins râpeuse, semblait-il, mais peut-être était-ce tout simplement parce qu'on s'y était habitué.

Par contre, il avait toujours le même sale caractère : il ne fallait pas lui marcher sur les pattes, au propre comme au figuré ! Cependant il avait développé une patience extraordinaire à l'égard de la petite Judith. Depuis trois semaines, elle essayait de jouer à la poupée avec lui, de lui enfiler des robes minuscules, des bonnets à dentelle, de petits habits de cosmonautes. Alfred semblait se ficher totalement d'avoir l'air idiot et qu'on se bidonne devant lui (Alain n'y manquait pas). Il passait des demi-heures entières à se laisser brasser comme une poignée de vieux clous dans un petit berceau et il ne s'en échappait que lorsque les haut-le-cœur le prenaient.

— Fed ! Fed ! lançait-elle chaque matin en le voyant, et elle se mettait à rire et à battre des mains.

Il s'approchait en soupirant :

— Ah ! la marmaille, comme ça peut être assommant ! Qu'est-ce que tu veux, toi ?

Elle le prenait alors dans ses bras et se mettait à le caresser (un peu rudement, parfois !).

— Attention, la petite, tu me casses les os, lançait-il aigrement mais les yeux remplis de plaisir.

Il acceptait même qu'elle le tienne un moment par la queue, la tête en bas, à condition de ne pas la prendre par le bout, qui était très sensible.

Marie-Anne les regardait, ravie.

— Je n'en reviens pas, il est devenu comme son grand frère. Et dire que j'ai crié de peur quand je l'ai aperçu la première fois !

Antoine leva le doigt, l'air important :

— C'est parce que tu ne le connaissais pas. Alfred gagne toujours à être connu.

— Contrairement à certains petits imbéciles qui polluent le voisinage, compléta Alain avec un sourire en coin.

Antoine lui lança une pelure d'orange ; l'autre leva la main et fit dévier le projectile qui tomba dans son bol de céréales, éclaboussant toute la table.

— Hé, les imbéciles, lança Alfred, la tête toujours en bas, préparez-moi donc un bol de *Croque-Nature* au lieu de vous chamailler. Je meurs de faim, moi.

• • •

Le samedi matin, après les émissions de dessins animés, il y avait réunion dans la remise au local d'Alfred (car il avait décidé que c'était *son* local). On fixait alors le plan de la journée.

Étendu sur un vieux coussin, Alfred écoutait les suggestions de chacun, puis tranchait. On trouvait parfois qu'il tranchait un peu sec — et surtout qu'il tranchait beaucoup trop souvent.

— On devrait se nommer un nouveau chef chaque semaine, se plaignit un jour Michel. Tu nous mènes par le bout du nez, Alfred, comme si on était des petits bébés.

— C'est normal que je vous mène, répondit calmement le rat, c'est moi qui ai le plus d'expérience.

— Ha ! l'entends-tu ? pouffa Robert en se tapant sur une cuisse.

— Je suis un adulte, moi, poursuivit Alfred, imperturbable. Je suis petit, mais je suis un adulte. J'ai vécu des choses terribles. Vous ne pouvez même pas les imaginer.

— Raconte-nous, supplia Antoine.

— Je ne les raconterai sûrement pas. Juste d'y penser, ça me fait mal au cœur.

Les garçons se regardèrent en silence.

— Et maintenant, si on allait visiter l'hôtel de ville ? proposa Alfred.

— Impossible, c'est fermé le samedi, fit Antoine.

— On pourrait se promener autour et le regarder. Ton père dit que c'est le plus bel édifice de la ville.

Par bonheur, des peintres travaillaient dans le hall d'entrée et les laissèrent pénétrer. Blotti dans la poche d'Antoine, Alfred ne sortit la tête que lorsqu'ils furent parvenus en haut du grand escalier de chêne qui menait à la salle du conseil municipal. Ils entrèrent dans la salle.

Elle était vaste et fort belle, avec un plafond à caissons très élevé et de belles boiseries brun foncé. On s'y sentait un peu comme dans une église.

— Pose-moi par terre, ordonna Alfred.

Il trottina sur le tapis jusqu'au fauteuil du maire, réussit à grimper le long d'une patte et s'installa dedans.

— Mon rêve serait de diriger la ville, murmura-t-il avec un grand sourire qui découvrait ses dents jaunies.

Les enfants s'esclaffèrent.

— Ben quoi ? fit Alfred, vexé. J'en serais fort bien capable !

Une porte s'ouvrit brusquement et un grand monsieur à barbe noire avec un nez rouge tout bosselé apparut, une liasse de papiers à la main. Lorsqu'il aperçut les enfants, la rougeur de son nez envahit tout son visage :

— Mais... qu'est-ce que vous faites ici ? tonna-t-il. Allez ! fichez-moi le camp ou j'appelle la police !

Antoine fit un pas vers le fauteuil du maire pour attraper Alfred.

— M'as-tu entendu, toi ? cria l'homme en s'avançant vers lui, le bras levé.

Les enfants déguerpirent et filèrent jusqu'en bas de l'escalier.

— Allez, ouste ! dehors, leur lança un peintre à la blague.

Ils sortirent sur le perron et se regardèrent, consternés.

— Mon Dieu, qu'est-ce qu'on va faire ? murmura Antoine.

Et il éclata en sanglots.

Michel lui mit la main sur l'épaule :

— Il faut aller trouver ton père. Il va nous arranger ça, tu vas voir.

Ils coururent jusqu'à la pharmacie. Monsieur Brisson était débordé. Ils durent attendre une dizaine de minutes avant de pouvoir lui parler.

— Mais qu'est-ce que vous avez pensé de l'amener là-bas ? s'écria le pharmacien, effrayé. Allons, essuie-toi les yeux, ajouta-t-il d'une voix radoucie en présentant un papier-mouchoir à son fils, et puis cesse de renifler comme ça, tu vas te faire éclater le nez.

Il lui tapota la tête, perplexe :

— C'est que je ne peux pas quitter tout de suite, moi. Je suis seul aujourd'hui, mon assistant a pris congé.

La clochette de la porte d'entrée ne cessait de sonner. Trois clients attendaient devant le comptoir.

— Je suis un peu pressée, monsieur Brisson, murmura timidement une jeune femme. Ma fille fait une crise d'asthme.

Il était onze heures trente lorsque monsieur Brisson réussit à se rendre à l'hôtel de ville ; les trois garçons couraient autour de lui comme des poulains effrayés.

— Ah ! non ! grogna-t-il en secouant la porte verrouillée.

Il appuya sur la sonnette une fois, deux fois, trois fois, puis se retourna vers les enfants, navré :

— Rien à faire. Il faut attendre à lundi.

• • •

La fin de semaine fut bien longue. Antoine passa tout le dimanche en pyjama, affalé devant la télévision, refusant de s'habiller, de faire son lit, de se brosser les dents, et envoyant tout le monde au diable — et particulièrement Alain qui, navré comme les autres par la disparition du rat, essayait de lui remonter le moral.

La petite Judith se traînait sur le plancher et demandait à tous moments d'une voix mélancolique :

— Où Fed ?

— Il est parti pour un petit voyage, mon amour, répondait Marie-Anne. Il va revenir bientôt, ne t'inquiète pas.

Vers quatre heures, Michel et Robert téléphonèrent à leur ami pour tenir une réunion d'urgence. Leur visite décida Antoine à enfiler ses culottes. Il les reçut dans la salle de jeu, la mine lugubre ; les trois garçons prirent place sur le canapé et se regardèrent en silence un long moment.

— Je me demande bien ce qu'il fait, murmura enfin Robert.

— Pourvu que le grand salaud ne l'ait pas écrasé à coups de pied, soupira Antoine.

Michel sourit :

— Alfred sait mieux se défendre que ça. Il l'aurait mordu au mollet. Il aurait coupé sa ceinture d'un coup de dents pour faire tomber ses pantalons...

Puis, croisant les bras derrière la tête :

— J'ai eu une idée tout à l'heure... Si on allait à l'hôtel de ville ? J'ai remarqué hier une toute petite porte sur le côté, cachée par un buisson. Il suffirait de se rendre là-bas à la noirceur, de casser la vitre avec un caillou, puis de...

— Système d'alarme, laissa tomber Antoine, découragé.

Ils décidèrent quand même de s'y rendre et de faire lentement le tour de l'édifice. Alfred avait peut-être réussi à s'en échapper, mais n'osait pas retourner à la maison par les rues et — qui sait ? — les attendait peut-être, caché quelque part.

Jean-Guy écoutait un disque dans le salon.

— Où allez-vous ? fit-il en les voyant passer.

— Devine, grogna Antoine.

— Pas de folie, hein ? leur enjoignit-il en secouant l'index. Que je n'apprenne jamais que vous avez essayé de casser une vitre pour pénétrer dans l'hôtel de ville...

— Qu'est-ce que tu penses ? On n'est pas des cambrioleurs !

Ils sortirent sur la galerie.

— Crois-tu qu'il nous avait entendus ? demanda Robert, inquiet.

— Sûrement pas : la musique jouait trop fort, et puis on était au sous-sol.

— Les pharmaciens sont souvent comme ça, affirma gravement Michel. Ils devinent tout. On leur donne des cours de devinerie à l'université. C'est pour dépister les trafiquants de drogues.

Il se tourna vers Antoine :

— Je te plains, mon vieux. Ta vie doit être terrible.

Quand ils arrivèrent à l'hôtel de ville, de grosses gouttes de pluie commençaient à tomber. Ils firent trois fois le tour du bâtiment, appelant Alfred à voix basse, fouillant tous les recoins, soulevant le moindre objet. Il pleuvait de plus en plus.

— Alfred ! lança tout à coup Antoine d'une voix désespérée. M'entends-tu ? Viens, je t'en prie !

Une grosse dame à chapeau mauve s'avançait en boitillant sur le trottoir, tenant un journal au-dessus de sa tête. Elle lui jeta un regard étonné, marmonna quelque chose, puis tourna le coin.

# 10

Antoine fit des rêves épouvantables cette nuit-là.

Alfred dirigeait une séance du conseil de ville dans la salle toute remplie d'enfants.

— Je vous accorde 6 millions de dollars pour de la gomme baloune, annonçait-il de sa petite voix râpeuse. Mais je vous défends bien de la coller sur les murs, vous m'entendez ?

Un tonnerre d'applaudissements accueillait ses paroles, mais soudain

— horreur ! — les enfants se transformaient tous en gros hommes costauds à barbe noire et se précipitaient sur lui pour l'écraser à coups de pied.

— Au secours ! au secours ! hurlait Alfred. Je meurs ! Je meurs ! Je suis mort !

Antoine se leva deux fois dans la nuit pour prendre un verre d'eau et essayer de vider sa tête des images atroces qui la remplissaient. Il regarda longuement par la fenêtre dans la cour pleine d'ombre, espérant y apercevoir son ami.

Soudain quelque chose bougea près d'un arbuste.

— Alfred, murmura-t-il en portant la main à sa bouche.

Hélas, ce n'était que Boogie, la chatte de la voisine, qui s'en allait faire ses besoins dans le carré de sable, comme chaque nuit.

• • •

À neuf heures le lundi matin, monsieur Brisson, un appareil-photo en bandoulière, se présenta à l'hôtel de ville, comme il l'avait promis à ses garçons avant leur départ pour l'école (il avait dû se fâcher contre Antoine, qui voulait absolument l'accompagner).

Une secrétaire s'avançait dans le hall avec une brassée de paperasses.

— Je... est-ce que je pourrais aller prendre quelques photos de la salle du conseil municipal ? demanda-t-il en rougissant.

— Allez-y, monsieur, c'est juste en haut, fit-elle avec un léger haussement d'épaules en secouant sa jolie chevelure frisée qui sentait la fleur d'oranger.

Et elle disparut dans le greffe.

Monsieur Brisson monta lentement le monumental escalier de chêne recouvert d'un tapis vert olive. Voilà bien longtemps qu'il n'était venu ici.

Arrivé au palier, il aperçut la salle par une porte vitrée. Elle semblait vide.

Il poussa la porte, entra et promena son regard partout : il n'y avait personne. Les bureaux des conseillers, disposés en demi-cercle face à l'entrée, luisaient doucement au soleil qui entrait par les hautes fenêtres. Au centre, le bureau du président, posé sur une estrade, faisait penser à la tribune d'un juge.

— Alfred, fit le pharmacien à voix basse, c'est moi, Jean-Guy. Je suis venu te chercher.

Personne ne répondit. Il s'avança au milieu de la place :

— Alfred, répéta-t-il un peu plus fort, m'entends-tu ? Je suis seul. Tu peux sortir. Il n'y a aucun danger. Je suis venu te chercher. Je te glisse dans ma poche et on file dehors.

Un petit toussotement le fit se retourner. Un agent de sécurité se tenait debout devant la porte ouverte et l'observait, les bras croisés sur la bedaine :

— Vous cherchez quelqu'un, monsieur ?

— Heu... non, non. Je suis venu prendre des photos.

— Ah bon, vous êtes venu prendre des photos, reprit l'agent avec un petit sourire. Je comprends, je comprends.

Et il resta devant la porte à le regarder. Jean-Guy, rouge comme une bouteille de ketchup, ajusta son appareil. Mais il n'y avait pas de film dedans.

— Très belle salle, hein ? fit-il en se retournant.

L'autre poussa un vague grognement.

Le père d'Antoine alla se placer derrière le bureau du maire afin de prendre une photo d'ensemble ; soudain son pied toucha quelque chose de mou.

— Qu'est-ce qui se passe ? demanda l'agent de sécurité en s'avançant, les sourcils froncés. Un problème ?

— Non, non, ce n'est rien, bafouilla Jean-Guy d'une voix défaillante. J'ai cru que c'était...

Et il exhiba un chiffon gris, sans doute oublié par une femme de ménage.

— Donnez-moi ça, ordonna le gros homme, la main tendue. Vous en avez encore pour longtemps ?

— Non, j'ai fini, j'ai fini. Merci. Au revoir.

— Au revoir, répondit l'autre.

Il le regarda descendre l'escalier, puis haussa les épaules :

— Un autre craqué. Mon troisième depuis mardi.

Monsieur Brisson, furieux, se dirigeait à grandes enjambées vers sa pharmacie :

— Bon sang de bon sang de boîte à clous de trappe à cochons, marmonnait-il en dardant devant lui un regard meurtrier. Dans une demiheure, toute la ville va penser que je travaille du chapeau. Mais qu'est-ce que je pouvais dire ? Que je cherchais un rat ? et en plus un rat qui parle ? Je me serais retrouvé dans une ambulance en camisole de force !

Il venait à peine d'enfiler son sarrau qu'on l'appelait au téléphone.

— L'as-tu retrouvé, papa ? fit la voix d'Antoine, pleine d'angoisse.

— Comment ? tu n'es pas en classe, toi ?

— Je suis dans le bureau de la directrice. L'as-tu retrouvé ?

— Non, mon pauvre. Je l'ai appelé sur tous les tons, mais il n'est pas venu. Il n'est plus là.

Le pharmacien entendit des reniflements au bout du fil.

— Allons, Titou, il ne faut pas réagir comme ça... Il va revenir, ton Alfred, j'en suis sûr.

— Non ! il ne reviendra jamais ! et je...

Les sanglots l'empêchèrent de continuer. Il raccrocha brutalement, s'enfuit du bureau et se réfugia aux toilettes pour pleurer à son aise.

• • •

Accoudé au comptoir, monsieur Brisson se grattait pensivement une joue en regardant à travers un client qui se tenait debout devant lui, une ordonnance à la main. Le client se racla la gorge deux ou trois fois pour attirer son attention.

— Monsieur Brisson, dit-il enfin, je crois que vous êtes dans la lune.

— Je suis quoi ? Oh ! excusez-moi, s'écria le pharmacien en sursautant, j'avais la tête à... Qu'est-ce que je peux faire pour vous ?

Il le servit, s'excusa encore une fois, puis téléphona à sa femme pour lui annoncer l'échec de ses recherches à l'hôtel de ville.

— Qu'est-ce qui a bien pu se passer ? murmura Marie-Anne, soucieuse, quand il eut terminé son histoire. Comment savoir si... J'ai une idée ! s'écria-t-elle soudain.

— Laquelle ?

— Je te rappelle dans dix minutes.

Elle venait de se souvenir que la petite-nièce d'une de ses amies travaillait aux archives à l'hôtel de ville. Peut-être quelqu'un savait-il là-bas ce qui était arrivé au pauvre Alfred quand l'homme à barbe noire avait fait irruption dans la salle du conseil municipal ?

Elle téléphona à son amie qui téléphona à sa petite-nièce qui s'informa auprès d'une secrétaire au premier étage.

Effectivement, l'assistant-directeur des finances avait découvert un rat dans la salle du conseil le samedi précédent. Il l'avait pourchassé sur tout l'étage pendant une dizaine de minutes, l'atteignant d'un coup de pied à trois ou quatre reprises, mais l'animal avait fini par disparaître dans un trou percé la veille par des électriciens. Des traces de sang sur le plancher indiquaient cependant qu'il avait été blessé, sans doute grièvement.

Marie-Anne rappela son mari :

— Pas un mot aux enfants, hein ? Ils ont déjà assez de peine comme ça.

Celui-ci gardait le silence.

— Eh bien, fit-il enfin d'une voix étranglée par l'émotion, on ne reverra sans doute jamais notre pauvre Alfred. Il est allé mourir quelque part dans un mur.

— Ne dis pas ça. Tu sais bien que les rats sont des animaux coriaces. Et Alfred n'est pas le dernier venu.

Elle raccrocha.

Judith était assise à ses pieds et la fixait d'un œil inquiet :

— Fed bobo ? Où Fed ?

# 11

Assis dans leur local en haut de la remise, les garçons tenaient une réunion d'urgence. C'était un mercredi après-midi. Alfred était disparu depuis quatre jours.

Antoine avait l'air fatigué et abattu. La veille, il avait obtenu 6 sur 20 pour son examen de mathématiques et commis 14 fautes dans sa dictée. Ça n'allait pas du tout, et ses parents commençaient à s'inquiéter.

— Il faut aller voir le maire, déclara Michel Blondin. Quand on lui aura appris qu'Alfred sait parler, je suis sûr qu'il va nous laisser fouiller dans l'hôtel de ville et même défoncer des murs.

— Moi, je pense, soupira Antoine, qu'il va plutôt nous prendre pour des twittes et nous rire en pleine face.

— Et moi, ajouta Robert, je pense qu'on n'arrivera même pas à lui parler. Et si on réussissait, je serais tellement gêné que je ne pourrais pas dire un mot.

Michel eut un sourire dédaigneux :

— Pfa ! tu t'énerves pour rien, mon vieux. Je lui parlerai, moi. Les maires, ça ne m'a jamais impressionné.

— De toutes façons, intervint Antoine, je suis sûr qu'Alfred n'est plus à l'hôtel de ville. Sa première idée a été sûrement de sacrer le camp de là au plus vite et s'il n'est pas revenu chez moi, c'est qu'il ne peut pas.

— À moins qu'on ne l'ait tué, supposa Robert à voix basse.

Antoine devint très rouge et se leva avec un mouvement furieux. Il fut sur le point de riposter, mais se ravisa et se rendit jusqu'à l'échelle. Les deux mains posées sur un barreau, il se mordillait les lèvres, immobile. Ses deux compagnons se regardaient, déconcertés. Au bout d'un moment, il revint vers eux, les yeux brillants de larmes, mais un peu calmé :

— Si vous croyez qu'Alfred est mort, dit-il froidement, vous pouvez vous en aller. Je le chercherai tout seul.

On l'assura qu'il n'en était rien et Robert lui déclara avec des tremblements dans la voix que ce n'était qu'une idée comme ça qui lui était passée par la tête et qu'il se demandait bien d'où elle venait.

Antoine finit par se rasseoir et la réunion se poursuivit.

— Moi, je pense, dit gravement Michel, qu'on a oublié un détail très important.

— Lequel ? demandèrent ses compagnons.

— On a oublié qu'Alfred, c'est un rat d'égout.

— Et alors ? Qu'est-ce que ça change ? fit Antoine.

— Ça change que si on veut le retrouver, faudrait peut-être aller faire un tour... dans les égouts — près de l'hôtel de ville !

— Il se serait caché là, tu penses ?

— Je le pense.

— Et pourquoi ne serait-il pas revenu à la maison ?

— Ça, mon vieux, je n'en sais rien.

— Tu as peut-être raison, intervint Robert. Et même *je suis sûr* que tu as raison.

— Mais comment pénétrer dans les égouts ? demanda Antoine en levant les bras, découragé.

On décida tout d'abord d'aller faire une petite promenade exploratoire pour repérer les grilles d'égout près de l'hôtel de ville. Il y en avait deux : la première juste en face de l'entrée, dans la rue principale (impossible d'y accéder, car l'endroit était trop passant), et la deuxième à l'arrière du bâtiment dans une rue étroite beaucoup plus tranquille.

La pesanteur de ces grilles de fonte posait un problème. Mais Robert se rappela que son père gardait dans la cave une grosse barre de fer dont on pourrait se servir comme levier. En s'y mettant à trois, on arriverait sans doute à soulever la grille, puis à la déplacer suffisamment pour se glisser dans l'ouverture.

Impossible, cependant, d'agir en plein jour. Il fallait attendre la noirceur. Les garçons décidèrent alors de retourner au local pour finir de mettre au point leur plan.

Au milieu du souper, Antoine annonça à ses parents que Michel l'avait invité chez lui à huit heures pour regarder un film. Il quitta la maison par la porte de côté en emportant dans un sac une lampe de poche et une paire de bottes de caoutchouc.

Robert, lui, avait pris soin au cours de l'après-midi de cacher la barre de fer sous le perron de la cuisine, mais il était passé à deux doigts de se faire surprendre par son père, arrivé à l'improviste.

À huit heures dix, les deux garçons arrivèrent chez Michel. Il leur ouvrit la porte avec un air de conspirateur et les amena dans sa chambre :

— Je t'ai trouvé une paire de bottes, souffla-t-il à l'oreille de Robert. J'espère qu'elles te font. Et j'ai emprunté la torche électrique de mon oncle.

Il glissa la main sous son oreiller et l'exhiba fièrement :

— Elle éclaire à vingt mètres. Regardez un peu.

— Ça va, ça va, fit Antoine en levant les mains pour se protéger les yeux, on a vu.

Pendant un moment, des points noirs dansèrent devant lui. Il avait l'impression que c'était les yeux d'Alfred qui l'imploraient. Il se dirigea vers la porte :

— On y va ?

— Il fait pas assez noir, jugea Robert en observant le ciel par la fenêtre.

Ils se rendirent au salon et s'installèrent devant la télé. Josée, la mère de Michel, apparut dans la porte :

— Eh bien, s'étonna-t-elle, vous vous intéressez aux émissions économiques, maintenant ?

— Faut bien, maman. Dans

quelques années, nous autres aussi, on va se retrouver sur le marché du travail.

Josée le fixa un instant d'un air pensif, puis s'éloigna tandis que les amis s'échangeaient des sourires.

À neuf heures moins dix, Antoine, qui ne tenait plus en place, se leva brusquement :

— On y va, les gars. Il fait très noir maintenant.

Michel alla trouver sa mère et lui annonça, le regard au plancher, qu'ils s'en allaient chez Antoine.

« En faisant un croche par l'hôtel de ville », ajouta-t-il dans sa tête.

— Chez Antoine à cette heure ? s'étonna-t-elle. Et pour y faire quoi ?

— Je vais peut-être dormir chez lui. Je te téléphonerai.

— Qu'est-ce qu'ils peuvent bien mijoter ? se demanda Josée en les observant par la porte de la cuisine.

Michel avait discrètement déposé dans le vestibule le sac contenant la paire de bottes et la torche électrique. Antoine récupéra le sien, caché sous la haie, Robert sa barre de fer, et ils se dirigèrent à grands pas vers l'hôtel de ville.

La chance leur souriait : le ciel s'était tout pommelé de petits nuages gris bleu qui cachaient la lune. Courbés au-dessus des trottoirs, les lampadaires laissaient tomber une lumière pâle et fatiguée qui donnait envie d'aller se coucher.

Ils tournèrent le coin et s'avancèrent dans la rue Joncueil où se trouvait leur grille d'égout. L'hôtel de ville se dressait de l'autre côté d'un petit parc ; toutes ses fenêtres étaient obscures, sauf une au premier étage, où l'on voyait une grosse femme de ménage passer l'aspirateur.

— Ah ! merde ! s'écria Antoine, et il tapa du pied.

Une auto était stationnée sur la grille.

Ils tournèrent autour un moment, dépités, donnant des coups de poing sur la carrosserie, puis Michel tendit soudain son sac à Robert et traversa la rue :

— Allez vous cacher dans le parc. Je vais essayer quelque chose.

Antoine et Robert allèrent se dissimuler derrière le monument du soldat mort à la guerre, puis jetèrent un coup d'œil sur leur ami. Il sonnait à la maison d'en face.

— Il est viré fou, murmura Antoine, horrifié.

Robert le regarda, se mordit les lèvres et poussa un soupir.

Un grand homme voûté venait d'apparaître dans l'embrasure de la porte.

— Bonsoir, monsieur, fit Michel d'une petite voix claire et naïve. Excusez-moi de vous déranger. C'est à vous l'auto en face ?

— Oui, répondit l'homme, étonné. Qu'est-ce qu'elle a ?

— Je viens de voir deux hommes qui essayaient d'enlever vos enjoliveurs avec un tournevis. Quand ils m'ont aperçu, ils se sont sauvés à travers le parc.

L'homme se mit à tousser, poussa quelques jurons et s'approcha de l'automobile. Il en fit le tour, l'examinant soigneusement, s'installa au volant et alla la stationner le long de sa maison.

— Merci, mon gars, lança-t-il en entrouvrant la portière. C'est gentil de ta part.

Michel marcha tranquillement jusqu'à l'hôtel de ville, tourna le coin et attendit ses amis, le dos appuyé au mur de brique. Quelques instants plus tard, Antoine et Robert le rejoignaient, après avoir fait un long détour.

— Et voilà ! leur dit-il, tout rayonnant. Il suffisait d'y penser.

Antoine lui tendit la main :

— T'es formidable, mon vieux.

Robert le contemplait, béat d'admiration.

Le vieux monsieur restait assis dans son automobile, jonglant à Dieu sait quoi. Finalement, la portière claqua. Il se promena quelques minutes dans sa cour, puis entra chez lui. Dix minutes plus tard, il éteignait toutes les lumières et se couchait.

— Allons-y, fit Antoine

Ils s'approchèrent de la grille. La nuit avait fraîchi. Des frissons leur couraient dans le dos. Ou peut-être était-ce la peur ?

Robert introduisit le bout de la

tige de fer dans une fente de la grille, prit appui sur le rebord du trottoir et poussa vers le bas :

— Ouille ! c'est pesant !

Ils s'y mirent à trois. La grille se soulevait, mais ils ne parvenaient pas à la déplacer de côté, de sorte qu'elle retombait toujours dans son trou. Antoine inspectait à tous moments les alentours. Personne ne se montrait. De l'autre côté du parc, une certaine animation régnait dans la rue Principale, mais ils se trouvaient trop loin pour qu'on les remarque.

— Attendez, fit Antoine.

Il s'éloigna dans le parc, le regard au sol, et revint bientôt avec un bout de branche. Michel et Robert soulevèrent de nouveau la grille et Antoine réussit à glisser la branche dans l'interstice :

— Maintenant, il faut la faire glisser un peu de côté.

Ils s'accroupirent sur le sol et se mirent à pousser dessus. Michel s'assit dans la rue, les reins appuyés contre le trottoir, et s'arc-bouta des jambes.

On entendit un léger grincement et la grille bougea.

— Ayoye ! mon doigt ! mon doigt ! lança Robert.

Antoine et Michel bondirent sur leurs pieds et, le visage plissé comme un vieux gant, réussirent à soulever un peu la grille.

L'expédition faillit s'arrêter là.

Robert pleurait à chaudes larmes, le bout de l'index dans la bouche. Finalement, il se calma. La peau avait été pincée, mais il n'y avait pas de sang et l'os ne semblait pas touché.

— Tu veux nous attendre dans le parc ? proposa Antoine.

— Jamais de la vie ! répliqua l'autre en s'essuyant les yeux. Je vais avec vous.

Michel braqua sa torche dans le fond de la bouche d'égout. Elle était profonde d'environ trois mètres ; des barreaux d'acier fixés dans le béton permettaient d'y descendre facilement. De vieux chiffons de papier et des cailloux baignaient dans un peu d'eau. Deux trous sombres se faisaient face, sans doute les ouvertures d'un tunnel.

Soudain, une automobile apparut au coin de la rue. Ses phares jetaient une lumière aveuglante. Ils saisirent leurs sacs et coururent se cacher derrière le monument au soldat. L'auto passa lentement et disparut derrière l'hôtel de ville. Par bonheur, on n'avait pas remarqué la grille déplacée. Michel enfila ses bottes de caoutchouc, imité par ses deux compagnons.

— Allons-y, fit-il.

Pour éviter qu'elle n'attire l'attention, Robert laissa tomber sa barre de fer dans le fond de la bouche d'égout, puis l'un après l'autre, ils descendirent.

— Brrr... une vraie glacière, murmura Antoine en s'avançant dans le tunnel.

Michel se pinça le nez :

— Et ça pue !

Il s'arrêta, surpris par l'ampleur de sa voix.

Ils avançaient à demi courbés dans un tuyau de béton où coulait une eau grisâtre qui atteignait leurs chevilles. Au-dessus de leurs têtes couraient des tuyaux de plastique qui devaient contenir des fils électriques. Leur cœur battait très fort et l'eau glaçait leurs pieds à travers les bottes. Ils se mirent à claquer des dents.

Le tunnel fit une légère courbe et un embranchement apparut devant eux.

Antoine fit signe à ses compagnons d'arrêter.

— Alfred ! lança-t-il d'une voix tremblante. C'est moi, Antoine. M'entends-tu ?

Quelque chose dégouttait lentement au loin en faisant comme un bruit de clochette.

— À gauche ou à droite ? demanda Robert.

Il les regardait avec de grands yeux apeurés et son menton tremblait un peu.

— À droite, décida Antoine. C'est du côté de l'hôtel de ville.

Ils marchèrent pendant une dizaine de mètres. Le clapotement de leurs bottes dans l'eau faisait un bruit infiniment triste, comme une sorte de marche funèbre. La lampe de poche d'Antoine se mit tout à coup à clignoter, puis s'éteignit.

— Heureusement que j'ai apporté ma torche, hein ? fit Michel avec un rire satisfait.

— Alfred, lança encore Antoine, m'entends-tu ? On est venus te chercher, mon petit rat d'amour.

Michel sourit :

— Mon petit rat d'amour... tu ne trouves pas que ça fait un peu quétaine ?

Antoine ne répondit rien.

Ils avançaient toujours. Un nouvel embranchement apparut.

— J'ai le goût de m'en retourner, moi, murmura soudain Robert. Je ne pense pas qu'on va le retrouver, ton rat, Antoine.

— Tu as peur de te perdre ? ricana Michel. Regarde donc devant toi, petite tête.

Le faisceau de sa torche fit sortir de l'obscurité une rangée de barreaux d'acier qui montaient vers la rue. C'était une nouvelle bouche d'égout. Ils s'y rendirent et aperçurent des étoiles à travers la grille de fonte. Le ciel venait de se dégager.

— Si jamais on se perdait, expliqua

Michel, on n'aurait qu'à se rendre à une bouche d'égout comme celle-ci et appeler à l'aide. Il n'y a aucun risque, mon vieux, je te le jure.

Antoine se tourna vers lui :

— De toutes façons, il faut revenir sur nos pas. On s'est trompés de direction.

Une telle tristesse imprégnait sa voix que Michel en fut saisi :

— Allons, Titou, murmura-t-il en lui tapotant l'épaule, prends courage... Je suis sûr qu'il n'est pas loin.

Ils se remirent en marche. À se promener ainsi à demi penchés, ils commençaient à ressentir des courbatures au dos et leurs yeux écarquillés étaient devenus secs et brûlants.

— Vous êtes sûrs qu'on suit le bon chemin ? demanda Robert au bout d'un moment.

— Ah ! ça suffit, toi ! éclata Antoine. Tu commences à me tomber sur les nerfs ! Sacre ton camp si tu as trop peur !

— C'est ce que je vais faire, grogna l'autre.

Soudain, tournant la tête vers la

gauche, il aperçut une ouverture à la hauteur de ses yeux. Un peu d'eau en coulait.

— Les gars... venez voir un peu.

Michel s'approcha et braqua sa torche dans le tuyau. Il était tapissé de grandes taches vertes et faisait un léger coude deux mètres plus loin.

— Pouah ! ça sent la vieille merde, s'écria-t-il en reculant, à demi suffoqué.

Antoine se pencha vers l'ouverture :

— Alfred ! es-tu là ? Réponds, je t'en prie, c'est moi, Antoine !

Alors ils entendirent comme une sorte de frottement entrecoupé de bruits de respiration.

— Alfred, cria Antoine, la tête enfoncée dans le tuyau, est-ce que c'est toi ?

— Antoine, murmura une voix faible et lointaine. Ça va mal... ça va très mal...

— Où es-tu , bon sang, où es-tu ?

Il y eut un moment de silence, puis la voix répondit :

— Je ne sais pas... Je ne peux plus

bouger... Il m'a cassé les pattes... le salaud.

Antoine sortit la tête et saisit la torche électrique des mains de Michel :

— Alfred... écoute-moi bien... je viens d'allumer une torche. Vois-tu de la lumière ?

Un moment passa.

— Un peu, répondit la voix dans une espèce de râle.

— Tu en vois ? tu en vois ? Alors, c'est que tu n'es pas loin de moi. Essaye de te traîner vers la lumière, Alfred.

— Peux pas... ça fait trop mal...

— Essaye, Alfred, essaye, je t'en prie, sanglota Antoine, je ne peux pas te rejoindre, moi.

Le frottement se fit entendre de nouveau, entrecoupé de halètements.

— Vas-y, mon vieux, vas-y, tu approches !

— Je savais qu'on le trouverait, jubila Michel en claquant les mains.

Robert soupira :

— Oui, mais dans quel état ?

— Je n'en peux plus, murmura Alfred au bout d'un moment, les forces me manquent... Laissez-moi tranquille, allez-vous-en...

— Non ! hurla Antoine. Si tu penses qu'on s'est rendus jusqu'ici pour te laisser crever, tu te trompes, mon vieux ! Avance, que je te dis !

Ils se parlèrent ainsi pendant une dizaine de minutes. Malgré l'humidité glaciale, les garçons ruisselaient de sueur. Dans son excitation, Michel se frappa deux fois la tête contre le béton.

Finalement, Antoine vit apparaître au tournant du coude une petite masse grise qui se traînait comme une limace.

— Antoine, soupira Alfred.

Et il s'arrêta.

— Va me chercher ta barre de fer, ordonna Antoine à Robert. Et apporte-moi un sac.

— Mais je ne sais pas si je pourrai...

— Va ! va ! c'est tout près ! Allons, grouille !

— Voilà, fit Robert en revenant au bout de quelques minutes.

Antoine introduisit la barre dans le tuyau tandis que Michel l'éclairait :

— Alfred, agrippe-toi après cette barre et je vais te tirer vers moi.

— Peux pas, répondit le rat dans un souffle.

Mais Antoine l'engueula tellement qu'il finit par obéir ; de peine et de misère, son ami réussit à l'approcher d'environ un mètre. Alors Michel, qui des trois avait le bras le plus long, glissa sa main sous l'animal et, avec des précautions infinies, l'amena vers lui.

— Aie ! aie ! attention ! lançait Alfred d'une voix mourante. Mes pattes arrière... mes pattes...

Michel déposa doucement Alfred dans le sac que tenait Antoine et les trois amis se dirigèrent vers la sortie. La joie et une mortelle inquiétude se bousculaient dans leur cœur. À la moindre secousse, Alfred poussait des cris qui leur faisaient mal jusque dans l'estomac.

Lorsqu'Antoine voulut grimper les barreaux pour monter à la surface, Alfred protesta :

— Je vais crever, mon vieux, articula-t-il avec peine. Laisse-moi ici et va-t-en... Merci pour tout... Des amis comme toi, je n'en ai eu qu'un.

— Alfred, t'es un imbécile. Tais-toi et laisse-moi faire.

Tandis que Michel et Robert tentaient de replacer la lourde grille, il rentra chez lui aussi vite qu'il le pouvait.

# 12

Les parents de Michel et de Robert se trouvaient sur place et tout le monde discutait fiévreusement des mesures à prendre pour retrouver les trois garçons. Monsieur Brisson allait appeler la police lorsqu'Antoine apparut. En l'apercevant, il poussa une sorte de rugissement et s'avança vers lui à grandes enjambées :

— Qu'est-ce qui s'est passé ? martela-t-il, courroucé.

Mais la vue d'Alfred et les explications d'Antoine le calmèrent aussitôt — pour un temps, du moins.

Il fallait faire vite. Alfred allait mourir.

Vingt minutes plus tard, il se présentait avec Antoine à la Clinique vétérinaire d'urgence.

Le jeune médecin qui les reçut se montra fort étonné qu'on se donne autant de mal pour un vulgaire rat d'égout.

— Écoutez, fit monsieur Brisson, pensez de moi ce que vous voulez, je m'en fiche, mais il faut sauver cet animal à tout prix, m'entendez-vous ? À tout prix ! Faites comme si c'était le premier ministre. Je paierai tout !

Le vétérinaire le regardait avec un grand sourire, comme s'il s'était agi d'un fou :

— Bon, j'ai compris. Suivez-moi, s'il vous plaît.

Ils pénétrèrent dans une pièce blanche éclairée au néon. À chaque bout se dressait une armoire blanche à portes vitrées où on avait rangé des pots, des flacons et toutes sortes d'instruments étranges. Au centre se trouvait une table d'examen.

Le vétérinaire se tourna vers monsieur Brisson, qui tenait Alfred, et avança ses mains :

— Est-ce qu'il mord ?

— Du tout. Il est comme un chat.

Alors, la mine un peu dégoûtée, il prit délicatement le rat des mains du pharmacien et le déposa sur la table d'examen. Couché sur le dos, Alfred le fixait en clignant lentement des yeux, la gueule entrouverte. Ses pattes arrière étaient enflées et bizarrement tordues.

— Hum, fit le médecin sans parvenir à cacher son inquiétude, il n'en mène pas large, celui-là...

• • •

Alfred souffrait de déshydratation avancée et de fractures aux pattes arrière et au bassin. Il demeura deux mois en clinique et souffrit beaucoup. On dut l'opérer trois fois. Il fut immobilisé dans le plâtre pendant plus d'un mois. Au début, on le nourrissait au sérum par piqûres intraveineuses, car il était trop faible pour s'alimenter lui-même.

Antoine venait le visiter chaque jour, accompagné de son père ou de sa mère. Souvent Judith ou Alain se joignaient à eux. Alfred ne prononça pas un seul mot tout au long de ces deux mois. On pensait même qu'il avait perdu l'usage de la parole.

Le jour où on le débarrassa enfin de son plâtre, Antoine lui apporta un morceau de camembert bien à point, qu'ils dégustèrent ensemble. Alfred en mangea presque la moitié à lui seul et sourit deux fois à son ami (voilà qui ne lui était pas arrivé depuis longtemps !).

— Pourquoi tu ne me parles plus, Alfred ? lui souffla Antoine à l'oreille. On est seuls. Personne ne peut nous entendre.

Alfred le fixa quelques secondes, fit une légère grimace mais garda le silence.

Un jour, le vétérinaire s'amena devant lui avec une cage à écureuil munie d'un tambour rotatif :

— Maintenant, mon vieux, il faut

que tu prennes un peu d'exercice.

Et il le glissa dans le tambour.

Alfred lui jeta un regard furieux (il avait le plus grand mépris pour les écureuils, qu'il trouvait écervelés), mais se mit quand même à faire aller péniblement ses pattes.

Au bout de trois jours, il pouvait trottiner pendant quelques minutes à une vitesse raisonnable, mais il boitait beaucoup, se fatiguait vite et devait se coucher après chaque séance d'exercices.

— Eh bien, mon cher Antoine, je pense que ton rat est tiré d'affaires, annonça le vétérinaire un bon soir. Je ne peux plus grand-chose pour lui. Ramenez-le à la maison. Il suffira de continuer à lui faire faire ses exercices.

Antoine leva vers lui un regard inquiet :

— Est-ce qu'il va toujours boiter ?

— C'est déjà beau qu'il marche, mon cher.

Antoine et son père quittèrent donc la clinique en emportant le rat dans sa cage.

— Sortez-moi de cette maudite boîte à pisse, ordonna Alfred aussitôt qu'il fut dans l'auto. Si j'avais pu, j'en aurais fait de la limaille. Il va être malin celui qui va réussir à me remettre dedans, je vous en passe un papier ! En arrivant, je veux qu'on la démolisse devant moi à coups de marteau, vous m'entendez ?

Monsieur Brisson éclata de rire :

— Tiens ! la langue lui est revenue ! Je n'ai jamais eu autant de plaisir à entendre quelqu'un chialer !

— Alfred, Alfred, tu parles de nouveau, murmurait Antoine, les yeux pleins de larmes. J'avais tellement peur que tu sois devenu muet.

• • •

Le lendemain, il y eut une petite fête. On y invita Michel et Robert, évidemment. Madame Brisson avait fait un gâteau au fromage (c'était le dessert favori d'Alfred), Antoine et Alain s'étaient cotisés pour offrir au convalescent un coussin électrique (car, avec tous ces malheurs, son mal de reins l'avait repris de plus belle, vous pensez bien). Judith, elle, alla chercher sa plus jolie poupée et la déposa devant le rat :

— Poupée de Fed, déclara-t-elle avec force.

— Quant à moi, fit monsieur Brisson en riant, je paierai la note de la clinique.

Mais quand il la reçut, il dut s'asseoir et s'éponger le front pendant vingt minutes.

On annula les vacances d'été en France. Tout le monde fut morose pendant quelques heures, mais on tâcha de se consoler en se disant que cet argent avait servi à sauver le rat le plus extraordinaire que les égouts de la terre aient jamais produit. Puis Marie-Anne proposa de passer le mois de juillet dans Charlevoix et la bonne humeur revint.

Mais Alfred se sentait malheureux. Le soir, au moment du souper, il demanda qu'on le dépose au milieu de la table :

— Monsieur Brisson, déclara-t-il, je vais vous rembourser la note de la clinique. Je ne sais pas encore comment, mais je vais le faire, prenez ma parole.

Le pharmacien sourit :

— Mon pauvre Alfred, tu te casses la tête pour rien. Je n'avais pas le choix de t'envoyer ou non à la clinique : tu es devenu comme un de mes enfants. Ne le savais-tu pas ?

Et tout le monde se mit à parler en même temps, sauf la petite Judith, qui était plutôt occupée à creuser un tunnel avec ses doigts dans sa purée de carotte.

Alfred demeura silencieux pendant quelques instants, puis la voix toute cassée par l'émotion :

— Je... j'ai vraiment bien fait de venir m'installer chez vous... Je... je n'aurais jamais cru que... que vous étiez aussi chouettes.

Et il se tourna brusquement vers le beurrier, car il craignait de ne pouvoir contenir ses larmes.

• • •

Mais à deux heures du matin, couché au grenier sur son coussin électrique, Alfred se creusait toujours la cervelle pour trouver un moyen de gagner de l'argent.

Antoine, lui, se trémoussait de joie dans son lit, car une idée lumineuse venait d'éclater dans son esprit pour régler les problèmes financiers de son ami : il allait le proposer à un électricien pour passer les fils électriques dans les murs et les plafonds. Qui refuserait pareille aubaine ?

Dès le lendemain il s'occuperait de cette affaire.

Mais cela est une autre histoire...

**FIN**

# QUÉBEC/AMÉRIQUE JEUNESSE

COLLECTION
## BILBO

*Beauchemin, Yves*
ANTOINE ET ALFRED #40
*Beauchesne, Yves et Schinkel, David*
MACK LE ROUGE #17
*Cyr, Céline*
PANTOUFLES INTERDITES #30
VINCENT-LES-VIOLETTES #24
*Demers, Dominique*
LA NOUVELLE MAÎTRESSE #58
*Duchesne, Christiane*
BERTHOLD ET LUCRÈCE #54
*Froissart, Bénédicte*
**Série Camille**
CAMILLE, RUE DU BOIS #43
UNE ODEUR DE MYSTÈRE #55
*Gagnon, Cécile*
LE CHAMPION DES BRICOLEURS #33
UN CHIEN, UN VÉLO ET DES PIZZAS #16
*Gingras, Charlotte*
**Série Aurélie**
LES CHATS D'AURÉLIE #52
L'ÎLE AU GÉANT #59
LA FABRIQUE DE CITROUILLES #61
LES NOUVEAUX BONHEURS #65
*Gravel, François*
GRANULITE #36
**Série Klonk**
KLONK #47
LANCE ET KLONK #53
LE CERCUEIL DE KLONK #60
UN AMOUR DE KLONK #62

*Marineau, Michèle*
L'HOMME DU CHESHIRE #31
*Marois, Carmen*
**Série Picote et Galatée**
LE PIANO DE BEETHOVEN #34
UN DRAGON DANS LA CUISINE #42
LE FANTÔME DE MESMER #51
*Moessinger, Pierre*
TROIS ALLERS DEUX RETOURS #13
*Pasquet, Jacques*
MYSTÈRE ET BOULE DE GOMME #8
*Roberts, Ken*
LES IDÉES FOLLES #6
*Sarfati, Sonia*
LE PARI D'AGATHE #20
*Tibo, Gilles*
NOÉMIE, LE SECRET DE
MADAME LUMBAGO #64
*Vonarburg, Élisabeth*
HISTOIRE DE LA PRINCESSE ET
DU DRAGON #29

COLLECTION
## GULLIVER

*Beauchemin, Yves*
UNE HISTOIRE À FAIRE JAPPER #35
*Bélanger, Jean-Pierre*
**Série Félix**
LA BANDE À FÉLIX #32
FÉLIX ET LE SINGE-À-BARBE #38
*Brochu, Yvon*
**Série Jacques Saint-Martin**
ON NE SE LAISSE PLUS FAIRE #19
ON N'EST PAS DES MONSTRES #39
ARRÊTE DE FAIRE LE CLOWN #44

*Noël, Mireille*

**Série Les Aventures de Simon et Samuel Basset**

UN FANTÔME POUR L'*EMPRESS* #57

*Pigeon, Pierre*

L'ORDINATEUR ÉGARÉ #7

LE GRAND TÉNÉBREUX #9

*Sarfati, Sonia*

SAUVETAGES #25

*Vonarburg, Élisabeth*

LES CONTES DE LA CHATTE ROUGE #45

COLLECTION

# TITAN

*Arsenault, Madeleine*

COMME LA FLEUR DU NÉNUPHAR #28

*Cantin, Reynald*

LA LECTURE DU DIABLE #24

**Série Ève**

J'AI BESOIN DE PERSONNE #6

LE SECRET D'ÈVE #13

LE CHOIX D'ÈVE #14

*Côté, Denis*

NOCTURNES POUR JESSIE #5

*Daveluy, Paule*

**Série Sylvette**

SYLVETTE ET LES ADULTES #15

SYLVETTE SOUS LA TENTE BLEUE #21

*Demers, Dominique*

**Série Marie-Lune**

LES GRANDS SAPINS NE MEURENT PAS #17

ILS DANSENT DANS LA TEMPÊTE #22

*Grosbois (de), Paul*

VOL DE RÊVES #7

*Labelle-Ruel, Nicole*

**Série Cri du cœur**

UN JARDINIER POUR LES HOMMES #2

LES YEUX BOUCHÉS #18

*Lazure, Jacques*

LE DOMAINE DES SANS YEUX #11

PELLICULES-CITÉS #1

*Lebœuf, Gaétan*

BOUDIN D'AIR #12

*Lemieux, Jean*

LA COUSINE DES ÉTATS #20

LE TRÉSOR DE BRION #25

*Marineau, Michèle*

LA ROUTE DE CHLIFA #16

**Série Cassiopée**

CASSIOPÉE OU L'ÉTÉ POLONAIS #9

L'ÉTÉ DES BALEINES #10

*Martel, Robert*

LOUPRECKA #3

*Montpetit, Charles*

COPIE CARBONE #19

*Poitras, Anique*

LA LUMIÈRE BLANCHE #25

LA DEUXIÈME VIE #23

*Vanasse, André*

DES MILLIONS POUR UNE CHANSON #8

COLLECTION

**CLiP**

*April, Jean-Pierre*

N'AJUSTEZ PAS VOS HALLUCINETTES #4

*Barthélémy, Mimi*

LE MARIAGE D'UNE PUCE #5

*Bélil, Michel*

LA GROTTE DE TOUBOUCTOM #13

*Cantin, Reynald*
LE LAC DISPARU #8
*Collectifs*
LA PREMIÈRE FOIS, tome 1 #1
LA PREMIÈRE FOIS, tome 2 #2
PAR CHEMINS INVENTÉS #10
ICI #12
LE BAL DES OMBRES #17
TOUT UN MONDE À RACONTER #19
*Gagnon, Cécile*
L'HERBE QUI MURMURE #7
*Laberge, Marc*
DESTINS #16
LE GLACIER #18
*Lazure, Jacques*
MONSIEUR N'IMPORTE QUI #14
*Marois, Carmen*
LES BOTERO #11
*Pasquet, Jacques*
SANS QUEUE NI TÊTE #3
L'ESPRIT DE LA LUNE #6
*Sernine, Daniel*
LA COULEUR NOUVELLE #9
*Vonarburg, Élisabeth*
LES CONTES DE TYRANAËL #15

COLLECTION
**KID/QUID?**
Dirigée par Christiane Duchesne

*Duchesne, Christiane et Marois, Carmen*
CYRUS, L'ENCYCLOPÉDIE QUI RACONTE, tomes 1 à 4

*Collection Clip*

1 LA PREMIÈRE FOIS TOME 1
Collectif

2 LA PREMIÈRE FOIS TOME 2
Collectif

3 SANS QUEUE NI TÊTE
Jacques Pasquet

4 N'AJUSTEZ PAS VOS HALLUCINETTES
Jean-Pierre April

5 LE MARIAGE D'UNE PUCE
Mimi Barthelemy
en collaboration avec Cécile Gagnon

6 L'ESPRIT DE LA LUNE
Jacques Pasquet

7 L'HERBE QUI MURMURE
Cécile Gagnon

8 LE LAC DISPARU
Collectif

9 LA COULEUR NOUVELLE
Daniel Sernine

10 PAR CHEMINS INVENTÉS
Collectif

*Tales for All – Montréal Press*

2 THE PEANUT BUTTER SOLUTION
Michael Rubbo

3 BACH AND BROCCOLI
Bernadette Renaud

4 THE YOUNG MAGICIAN
Viviane Julien

5 THE GREAT LAND OF SMALL
Viviane Julien

6 TADPOLE AND THE WHALE
Viviane Julien

7 TOMMY TRICKER AND THE STAMP TRAVELLER
Michael Rubbo

8 SUMMER OF THE COLT
Viviane Julien

9 BYE BYE RED RIDING HOOD
Viviane Julien

IMPRIMÉ AU CANADA